합리적 남자

The Rational Male

합리적 남자

롤로 토마시 지음 | 임현진 옮김

아니마

점들을 연결하다

2001년 1월, 나는 서른둘의 늦은 나이에 주립대학에 입학했다. 뒤늦게 대학에 간 것은 젊은 시절 무분별하게 보낸 시간에 대한 일종의 속죄였다. 소위 '록스타의 20대'를 보낸 탓에 따라잡아야 할 것들이 많았고 스스로 부족하다고 느꼈기 때문이다.

이제 와서 생각해보면 늦게나마 학교로 돌아간 것은 잘한 일이었다. 수업시간에 나보다 나이가 열 살은 어린 녀석들이 투덜거리던 것이 기억난다. "이런 건 대체 뭐 하러 배우는 거지? 직장에 들어가서 써먹을 수 있는 것도 아닌데."

만일 내가 스물두 살에 대학에 있었다면 아마 그들과 똑같은 생각을 했을 것이고, 배움의 진정한 가치를 이해하지 못했을 것이다. 물론 좋은 직장에서 일하는 것은 삶의 질을 높이기 위한 구체적인 목표가 될 수 있지만, 여러 가지 훌륭한 주제들에 대해 배우고 배우는 법을 익히는 것은 그 자체가 선물이다.

나는 인문학이 아닌 미술을 전공했다. 하지만 고등학교를 졸업하고 대학에 입학하기 전에 일하던 직장에서 느낀 바가 있어서 부전공으로 심리학을 선택했다(나중에 복수전공이 되었다). 내가 처음 심리학에 관심을 갖게 된 계기는 직장에서 상대했던 유난히 까다롭거나 괴팍한 성격의 소유자들을 이해해 보고자 한 것이었으므로 주로 성격 연구와 행동주의 심리학 강의를 들었다. 이 책의 내용 중에 많은 부분은 대학에서 배운 심리학을 나를 포함한 전 세계 남자들이 남녀관계에서 공통적으로 경험한 것들과 연결해서 십 년 넘게 탐구해온 결과물이다.

나는 심리학을 공부하면서 행동주의 이론에 매력을 느꼈다. 일반인들은 대부분 심리학 중에서도 '소파에 앉아서 느끼는 것을 이야기해봅시다.' 라는 식의 정신분석학 분야나 심리상담에 좀 더 익숙하다. 행동주의 심리학은 보다 구체적인 접근법으로 사람들이 하는 행동과 어떤 행동을 하는 동기를 연구하는 학문이다. 그 기본 원리는 어떤 사람을 평가할 때 그가 하는 말보다는 행동과 태도를 봐야 한다는 것이다. 행동이야말로 동기를 보여주는 가장 확실한 증거라고 할 수 있다. 왜냐하면 우리 자신도 의식하지 못하는 동기가 행동에 영향을 주는 것은 물론이고 우리의 의식조차 무의식적 행동을 합리화하는 수단이 될 수 있기 때문이다.

내가 행동주의 심리학을 받아들인 것은 학문을 실생활과 연결해서 이해할 수 있었던 첫 번째 점이었다. 나는 대학에 입학하기 한두 해 전부터 젊은이들이 '여자 문제'에 대한 고민을 털어놓는 몇몇 온라인 포럼에 활발하게 참여하고 있었다. 소위 픽업아티스트*라고 부르는 선수들의 연애 기술을 전수한다기보다 나 자신이 여자들과 만나면서 겪었던 실수를 그들이 되풀이하지 않도록 도와주고자 하는 의도였다. 그러면서 시간이 갈수록 많은 남자들이 고민하는 문제들과 내가 깊이 빠져들고 있던 행동주의 심리학 사이에 분명한 연결고리가 있다는 느낌을 떨쳐버릴 수 없었다. 그 무렵 소수아베 SoSuave.com라는 온라인 커뮤니티 사이트에 가입하게 되었다. 그 포럼은 내 눈에 들어오기 시작한 점들을 연결해 볼 수 있는 시험장이 되어주었다.

나는 같은 수업을 듣는 학생들이나 교수들에게 행동주의에 입각해서 남녀관계를 이해해보고자 하는 제안을 한 적이 있다. 하지만 당황스럽게도 행동주의 심리학을 자연과학 이론으로 격상시키려는 교수들이 오히려 내가 하는 이

---

* 픽업아티스트pickupartist: 여자를 유혹하는 기술을 터득한 연애고수.

야기에 대해 분명한 거부감을 드러냈다. 그 당시에는 무엇 때문에 그들이 내가 점들을 연결하는 것에 대해 불편해하고 못마땅해 하는지 이해할 수 없었다. 그들이 왜 그랬는지 지금은 알고 있다. 독자들도 이 책을 끝까지 읽고 나면 그 이유를 이해할 수 있을 것이다.

이 책은 나의 블로그 therationalmale.com에 공개한 핵심적인 아이디어와 개념들의 결정판이다. 이 책을 출판하는 현재 시점에는 블로그에 320편 넘게 글을 올렸고 앞으로도 계속해서 올릴 것이다. 이 책을 읽다가 특별히 관심을 끄는 주제가 있다면 내 블로그를 방문해서 그와 관련된 글들을 좀 더 읽어보기 바란다. 또한 따로 궁금한 문제가 있으면 about 페이지에 질문을 올릴 수 있다.

나는 매노스피어* 커뮤니티에 올라오는 댓글들을 통해 요청이 있어서 2011년부터 블로그에 집필을 하기 시작했다. 그런데 한 해 만에 블로그 방문자 수가 폭발적으로 증가했으므로 새로운 독자들을 위해 기본적인 개념들을 정리해서 알려줄 필요가 있다고 느꼈다. 그래서 블로그에 일

---

* 매노스피어manosphere: 남자들의 다양한 관심사를 다루는 블로그, 포럼, 까페 등을 포함하는 온라인 커뮤니티를 일컫는 신조어.

년여에 걸쳐 올린 글들을 묶어서 편집을 했고 그 결과물로 이 책이 나오게 되었다. 블로그에서 사용한 용어와 약어들은 최대한 이해하기 쉽게 풀어서 설명하려고 노력했다.

이 책에서 다루고 있는 개념들은 블로그 독자들의 질문에 답하는 과정에서 탄생한 것이다. 독자들의 이름은 온라인에서와 마찬가지로 익명을 사용했다. 중요한 것은 우리가 다루는 개념이며 어떤 개념을 누가 제안했고 누가 반박했는지는 중요하지 않다.

무엇보다 내가 블로그에 올린 글들을 정리해서 책으로 엮어내게 된 결정적인 계기는 재키라는 이름의 독자의 요청이 있었기 때문이다. 재키는 나이가 지긋한 가정주부였는데 내가 블로그에서 남녀관계에 대해 이야기하는 글들을 진지하게 받아들였다. 그녀는 내 글을 읽는 일반적인 독자가 아니었으므로 몇몇 개념에 대한 설명을 부탁했다. 그리고 덧붙여서 그녀의 아들이 그의 인생을 망쳐버릴 것 같은 여자에게 빠져서 결혼을 하겠다고 하는데 내 글을 읽게 해주고 싶다고 했다.

"당신이 블로그에 올리는 글을 모두 묶어서 책으로 냈으면 좋겠어요. 그러면 내가 우리 아들에게 줄 수 있잖아요.

그 녀석은 여자에게 빠져서 누구 말도 듣지 않으려고 해요. 그래도 내가 손에 책을 쥐어주면 한 번 읽어볼 거에요."

그래서 나는 재키의 아들을 위해 이 책을 출판하기로 결정했다.

전 세계에 걸쳐 수백만 명에 이르는 독자들이 내 블로그를 방문하고 있다. 하지만 종이에 인쇄된 글은 블로그나 까페에 올라오는 글에서 느낄 수 없는 설득력과 정통성을 갖는 것이 사실이고, 그렇기 때문에 좀 더 책임감을 느끼고 조심스러워질 수밖에 없다. 이 책을 통해 내가 하는 이야기를 처음 접한다면 마음을 열고 읽어보기를 겸허히 부탁드린다. 사이비 교주가 설교를 시작할 때 하는 말처럼 들릴지 모르지만, 내가 독자들에게 마음을 열라고 말하는 이유는, 우리는 누구나 자신이 이미 열린 마음을 갖고 있으며 완벽하게 이성적이고 비판적으로 생각할 수 있다고 믿고 싶어 하지만 사실은 그렇지 못하기 때문이다.

우선 머릿속에서 남성과 여성에 대해, 그리고 남녀의 역할과 상호작용에 관해 갖고 있는 선입견을 모두 깨끗하게 지우기 바란다. 지금부터 당신이 읽게 되는 내용은 상당히 과격하게 들릴 수 있다. 어떤 개념들은 당신의 인생관과 도덕관념을 뿌리째 흔들어 놓는 것처럼 느낄지도 모른다. 어떤 사람들은 절대 동의할 수 없다고 펄쩍 뛸 것이고, 어떤 사람들은 '아하!' 하는 깨달음을 얻을 수도 있을 것이다. 또 어떤 사람들은 남녀관계에 대해 갖고 있는 믿음에 배신을 당한 것처럼 느낄 것이고, 어떤 사람들은 자신의 개인적인 경험을 확인하고 무릎을 칠지도 모른다.

어떤 이야기는 불쾌감을 줄 것이다. 자신과는 전혀 맞지 않는 이야기라고 느낄 수 있다. 언뜻 보면 내가 하는 말들이 여성을 비하하는 것처럼 들려서 화가 날 수도 있다. 어떤 사람들은 이 책에서 과거의 배우자나 파트너에게서 상처를 받은 이유에 대한 변명거리를 찾을 수 있을지 모른다. 하지만 무리한 주문일지 몰라도, 내가 여기서 하는 이야기에 개인적인 감정을 덧칠하지 말기 바란다.

어떤 독자는 나를 좋아할 것이고 어떤 독자는 혐오할 것이다. "글쎄, 나와는 상관없는 주장이야." 라거나 "와, 이런 통찰은 남자들을 위한 새로운 경지를 개척한 것이나 다름없어." 라고 느낄 수도 있다. 나는 심리학자도 아니고 픽업 아티스트도 아니다. 남성인권 운동가도 아니고 자기계발 연사도 아니다. 단지 우리 삶에 흩어져 있는 점들을 연결하는 사람일 뿐이다.

한국의 독자들에게

　내가 블로그에 올린 글들을 정리해서 책으로 출판하게 된 것은 더 많은 사람들과 남녀관계의 역학에 대한 의견을 함께 나누고 싶었기 때문입니다. 우리는 거의 평생 동안 남녀관계에 대한 문제로 고민을 하지만 그 근간에 자리하고 있는 문화적·제도적 영향에 대해서는 거의 생각하지 않고 살아갑니다. 게다가 세상은 하루가 다르게 변화하고 있고 사람들의 수명도 길어지고 있지만 남녀의 역할과 결혼에 대한 우리의 의식과 가치관은 시대의 변화를 따라가지 못하고 있다는 것이 내 생각입니다. 이제 오랜 세월동안 당연하게 여겨왔던 남녀관계에 새로운 패러다임이 필요한 시기가 되었습니다.

　현대에는 남성성의 가치가 땅에 떨어지고 많은 남자들이 주눅이 들어 있거나 스스로 남성성 자체를 부정적으로 느끼고 있습니다. 이 책의 목적은 무엇보다 젊은이들이 자신감을 갖고 자신의 잠재력을 실현할 수 있는 인생 계획을 설계하는 데 도움을 주는 것입니다. 특히 남자들이 남녀관계에서 개인적인 행복에 반하는 행동을 하도록 만드는 세간의 속설에서 벗어나도록 하는 데 중점을 두었습니다.

전 세계에서 내 블로그를 방문하는 독자들이 말하는 것처럼, 한국의 남자들도 이 책에서 도움을 얻었다는 소식을 듣게 되기를 기대합니다. 어떤 내용은 서구 문화에 해당된다고 생각되는 부분이 있을지 모르지만 좀 더 마음을 열고 미래를 내다보는 시각을 갖고 읽는다면 충분히 공감할 수 있을 것입니다.

이 책은 이성을 유혹하는 연애 기법보다는 주로 남녀관계의 기본적인 원리에 대해 이야기합니다. 나는 어떤 책도 그 내용은 저자의 개인적인 경험에 한정될 수밖에 없다고 생각합니다. 나의 경험에 비추어서 제안하는 방법들이 모든 사람들에게 적절하지는 않을 것입니다. 어떤 독자는 이 책의 내용에 전적으로 공감할 수도 있고, 어떤 독자는 거부감을 느끼거나 의문을 가질 수도 있을 것입니다. 만일 여러분이 영어를 읽고 쓸 수 있다면 나의 블로그와 유트브 채널을 통해 질문도 하고 답변도 하면서 다양한 의견을 나누기 바랍니다. 나는 질문을 하는 사람들은 두렵지 않습니다. 다만 고민이 있어도 누구에게 물어볼 생각을 못하고 혼자 끙끙거리는 사람들이 걱정스럽습니다.

나는 한국어를 모르기 때문에 한국의 독자들과 직접 소통할 수 없어서 이 번역서가 더욱 소중하게 느껴집니다. 이 책을 읽고 한국의 독자들이 어떤 생각을 할지 무척 궁금하고 기대가 됩니다. 내가 너무 위험한 제안을 해서 사회 질서가 어지러워질 수 있다고 생각한다면 어떤 면에서 그렇게 느끼는지도 알고 싶습니다. 우리가 서로 의견을 나누고 배운다면 남녀관계가 보다 건설적인 방향으로 나아갈 것이고 인류 사회는 미래에 더욱 번창할 것입니다.

롤로 토마시

차례

3장 남녀의 연애시장 가치

4장 합리적 연애 수칙

5장 여자가 원하는 것

6장 속설과 허구

7장 사랑의 승자가 되라

1장

이론

01

....

운명적 사랑이란
미신일 뿐이다

그리스 신화에 따르면 최초의 인류는 머리가 둘이고 팔다리가 각각 넷이었다. 신들은 사람들이 지닌 뛰어난 능력을 우려해서 그들을 반으로 나누었고, 그 결과 사람은 평생 자신의 반쪽을 찾아다니게 되었다.

– 플라톤의 『향연 Symposion』

남녀관계에서는 좋은 인연과 나쁜 인연은 있어도 유일한 인연이란 있을 수 없다. 많은 사람들이 이 세상 어딘가에 자신을 완전하게 해줄 반쪽이 살고 있으며 언젠가 우주의 행성들이 일렬로 늘어서는 순간 그 반쪽을 만날 것이라는 꿈을 꾼다. 아니면 무의식적으로라도 그렇게 믿고 싶어 한다. 하지만 이런 반쪽 신화는 달달한 로맨틱코미디 영화의 줄거리는 될 수 있지만 인생 계획을 위해서는 터무니없이 비현실적이다. 운명적인 사랑이 있다는 믿음은 남자가 스스로 삶을 개척해가며 인생의 주인으로 사는 것을 방해하는 걸림돌이 될 수 있다.

남녀관계에서 특별히 궁합이 잘 맞는 짝이 있는 것은 사실이지만 그런 사람이 세상에 오직 한 명밖에 없는 것은 아니다. 평생의 동반자가 될 수 있는 사람은 얼마든지 있다. 운명이니 뭐니 하고 떠드는 사람들은 뭔가 다른 속셈이 있을지도 모른다. 자신의 반쪽이라고 믿고 살던 사람과 이혼을 하거나 사별을 해서 떠나보낸 한 후에 또 다른 사랑을 만나 알콩달콩 잘 살고 있는 사람들에게 물어보라.

그런데 흥미로운 사실은 여자들보다도 남자들이 무의식 중에 이러한 반쪽 신화에 사로잡혀 있다는 것이다. 알고 보면 심리학, 생물학, 사회학, 진화론, 경영학, 공학 등에 정통하고 스스로 이성적이라고 자부하는 남자들일수록 증상이 더 심각하다. 그런 남자들에게 운명적 사랑 따위는 없으며 세상에는 그들의 짝이 될 수 있는 후보자가 한 명만 있는 것이 아니라 얼마든지 있다고 말해보라. 아마 실망감을 감추지 못할 것이다. 그들은 마치 독실한 신앙인이 '신은 죽었다'는 말을 들었을 때처럼 인생의 허무함을 느낄 것이다. 이러한 반쪽 신화는 서구에서 시작된 페미니즘이 전파되면서 마치 종교의 교리처럼 사람들의 마음속에 확고하게 자리를 잡았고, 결국 많은 남자들이 아직도 자신의 반쪽을 찾아 헤매고 있다.

우리 주위에는 자신의 반쪽이라고 생각하는 사람에게 매달려 인생 전체가 불행해질 수 있는 사전경고를 무시해버리는 사람들이 있다. 여자들 역시 자신의 반쪽이라고 믿는 사람을 잃어버리는 두려움에서 자유롭지 못한 것은 마찬가지다. 어느 모로 보나 건전하고 온전한 정신을 가진 여자가 학대를 받아가면서도 무능하고 폭력적인 남자의 그늘에서 벗어나지 못하는 것을 보면 고개를 갸우뚱거리게 된다. 앞길이 구만리 같은 청년이 이루어질 수 사랑에 집착하다가 자기 자신이나 여자에게 해를 끼치는 어리석은 행동을 저지르기도 한다.

내가 뒤늦게 대학에 입학해서 심리학을 공부할 때 학생들과 함께 종교에 대해 토론을 한 적이 있다. 대부분이 무신론자이거나 회의론자인 20대 중반의 학생들은 종교란 인간이 죽음에 대한 두려움을 극복하기 위해 만들어낸 상상의 산물이라는 결론을 내렸다. 그리고 토론을 마무리하는 단계에서 '반쪽 신화'에 대한 이야기가 나왔고 교수가 학생들에게 이런 질문을 던졌다.

"이 세상 어딘가에 반드시 내 짝이 있을 것이라고 믿으며 '나의 반쪽을 만나지 못하면 어떻게 하나?'라는 걱정을 하고 있는 사람 손 들어보세요."

맙소사! 대부분의 학생들이 손을 들었다. 방금 종교의 불합리성을 조목조목 따지면서 신은 인간이 만들어낸 허구라고 주장하던 그들이 거의 만장일치로 미래의 배우자를 찾는 문제에서는 하늘이 점지해주는 운명적 사랑이 있다고 믿고 있었다. 연애를 진지하게 생각해본 적도 없고 영적인 문제에 대해서는 눈곱만치도 관심이 없어 보이는 녀석들까지 손을 번쩍 쳐들었다. 그들은 운명이 정해준 짝을 만나 영원한 동반자로 사는 것을 인생의 중요한 목표라고 당연시하고 있었다. 그 토론은 나에게 우리 시대의 남자들이 처한 현실에 대해 다시 생각해보는 계기가 되었다

반쪽 신화를 믿는 것이 대체 뭐가 잘못이냐고 물을지 모른다. 장래를 약속한 연인이나 결혼한 부부 사이라면 오히려 바람직한 것이 아니냐고 물을 수 있다.

"여자친구나 아내를 운명이 정해준 짝이라고 믿고 사는 것이

뭐가 잘못이죠?"

나는 남녀 한 쌍이 만나 결혼을 하고 자녀를 돌보면서 가정에 충실하게 사는 삶을 반대하는 것이 아니다. 모노가미 제도는 지금까지 대부분의 국가에서 가장 합리적이라고 판단해서 선택하고 있는 삶의 방식이다.

다만 모노가미는 그 자체로 남녀관계의 목표가 되어서는 안된다는 것이 내 생각이다. 반쪽 신화는 모노가미 제도가 우리의 집단 의식에 지속적으로 불건전한 심리적 의존성을 주입해온 결과다. 우리가 반쪽 신화를 경계해야 하는 이유는 누군가와 사랑에 빠져서 눈에 콩깍지가 씌이면 그 사람을 운명적으로 정해진 짝으로 생각하는 경향이 있기 때문이다. 남자나 여자나 어떤 이성에게서 깊은 인상을 받거나 꿈에 그리던 이상형을 만났을 때 자신의 반쪽을 찾은 것처럼 느낄 수 있다.

실제로 이 세상 어딘가에 우리에게 정해진 짝이 있고 어쩌다가 운 좋게 그 짝을 만났다고 생각한다면 어떻게 될지 상상해보자. 그 사람에 대해 신중하고 객관적인 평가를 할 수 있을까? 어떤 결함이 보이더라도 그 사람을 놓치지 않으려고 모든 것을 감수하고 매달릴 수밖에 없을 것이다. 그 사람과의 관계를 객관적으로 이해할 수도 없고 진정한 사랑을 받지 못해도 절대 떠날 수 없을 것이다. 주체적이고 독립적인 결정을 내리는 것은 고사하고 모든 희생을 감수하면서 관계를 유지하기 위해 애쓸 것이다. 결국 두 사람 사이의 균형이 한쪽으로 치우치는 위태로운 관계가 된다. 게다가 다른 사람은 눈에 보이지 않으니 이런저런 사람을 만나보고 더 나은 짝을 찾을 수 있는 기회도 가질 수 없다.

반쪽 신화에 빠진 사람들은 상대방을 있는 그대로 받아들이지 않고 자신의 이상에 맞춰 비현실적인 기대를 건다. 그러다가 결국 그 사람에게서 기대하는 것을 얻을 수 없다는 것을 깨닫는다면 얼마나 실망스럽겠는가? 반쪽 신화를 믿고 싶어 하는 동기는 평생의 동반자를 만나 검은 머리가 파뿌리가 되도록 행복하게 사는 것이지만, 아무리 낙관적인 사람일지라도 끝 모를 희생을 치르다 보면 언젠가 좌절감에 빠질 수밖에 없다.

남녀의 사랑을 아름답고 낭만적으로 묘사하는 디즈니 동화나 운명이 정해준 짝을 찾고자 하는 셰익스피어식 염원은 반쪽 신화를 종교화해서 사람들을 비이성적으로 몰고 가기 십상이다. 많은 사람들이 섣불리 결혼을 결정한 후에 파경을 맞거나, 이별을 받아들이지 못하고 극단적인 선택을 하거나, 혼자 외롭게 늙어가는 것에 대한 두려움을 갖고 있는 것도 반쪽 신화의 영향이 크다. 그리고 이러한 개인적이고 사회적인 병리 현상은 상당 부분 우리 사회에서 남녀관계가 지나치게 여성을 중심으로 움직이고 있는 것과 관련이 있다.

미리 말해 두지만, 나는 여자들이 의식적으로 남자들을 이용하기 위해 음모를 꾸미는 것이라고 말하는 것이 아니다. 오히려 남자들 스스로 그런 믿음을 당연한 것으로 받아들일 뿐 아니라 더욱 강화하고 있는 것이 문제다. 잘못된 믿음이라도 오랜 시간 거기 길들여지면 결국 우리 인격의 일부가 될 수 있다. 사람들이 이념이나 종교에 관한 토론을 하다가 언제나 격한 감정 싸움으로 끝나는 이유는 바로 믿음에 관련된 문제이기 때문이다. 자신이 믿고 있는 뭔가에 대해 비난을 받으면 마치 인격 모독을 당하는 것처럼 느끼기 때문에 방어적이 될 수밖에 없는 것이다. 그들 스스로 자신의 믿음을 포기할 수 있는 자세를 갖추기 전에는 아무리 현실적인 증거를 들이대도 소용이 없다.

나는 블로그를 처음 시작할 때 일반적인 남녀관계가 지

금까지 어떻게 발전해왔고 어떤 방향으로 나아가야 하는지를 독자들과 함께 생각해보고자 했다. 우리가 사회적 통념에 어떻게 길들여져 왔는지, 그 결과 개인의 의지와는 무관하게 어떤 일들이 일어날 수 있는지를 알면 남녀가 서로에게 기대하는 것을 조정해서 조화를 이루며 살 수 있을 것이다. 그러자면 우선 먼저 반쪽 신화와 '영원히 행복하게 살았다'는 식의 동화적 환상에서 깨어나야 한다.

반쪽 신화를 믿는 남자들의 눈을 뜨게 하는 것은 매우 어려운 일이지만 내가 이 책에서 목표로 하는 것이다. 운명적 사랑에 대한 환상에서 벗어나는 것은 많은 사람들이 생각하는 것처럼 허무주의가 아니다. 오히려 진실로 소중한 사람을 만날 수 있는 기회를 만들고 상호 존중과 이해를 바탕으로 하는 건강한 관계를 유지하기 위해 필요한 전제조건이다.

<<<<<<<<

우리의 삶에는 수많은 인연들이 스쳐 지나간다. 그 중에서 운명이라고 생각되는 사람과의 만남이 있지만 사실 그조차 우연이 만들어내는 인연에 불과하다. 운명과 같은 사랑도 지나고 보면 우연이자 허상일 뿐이다. 결국, 시간이 가고 또 다른 사람을 맞을 준비가 되면 다시 운명이라고 생각되는 '인연'이 찾아오게 되어 있다.

02

·········

여성의 본질
하이퍼가미

롤로(나): 하이퍼가미는 여자들이 남자를 선택하는 방법에 관련된 원초적 욕망입니다.

수전: 하이퍼가미는 여자들이 결혼상대로 자신보다 더 나은 지위에 있는 남자를 찾는 거죠. 그 이상도 그 이하도 아니에요.

에스코피에: 내 생각은 좀 다릅니다. 하이퍼가미는 여자들의 본능(말하자면 유전자에 새겨진)이며 언제 어느 상황에서도 자신보다 더 높은 지위에 있는 남자를 구하는 것이죠. 따라서 결혼뿐 아니라 원나잇스탠드로 남자를 만나는 것도 포함됩니다. 여기서 말하는 '지위'는 다양한 의미를 갖고 있습니다. 돈, 권력, 사회적인 지위 등이 포함될 수 있죠. 하지만 그 모든 것을 다

가진 남자라고 해도 외모와 행동거지가 형편없다면 지위가 낮을 수 있어요. 그러니까 무엇보다 리더십과 자신감이 있어서 어떤 상황에서도 의연하게 대처할 수 있는 능력을 갖춘 남자를 원하는 것입니다. 여자들은 남자가 가진 것보다는 남자가 하는 행동을 보고 성적으로 끌리는 경향이 있습니다. 예를 들어, 돈은 많지만 소심하고 자신감이 없는 남자보다는 당장 가진 것은 없어도 당당하게 행동하고 미래의 비전을 보여주는 남자를 선호해요. 가능하다면 경제력도 있고, 잘 생기고, 좋은 직업을 갖고 있다면 더 바랄 것이 없겠죠. 여자들의 하이퍼가미는 여성의 자연스러운 본능이지만 욕심이 지나치면 자신이 기대하는 수준의 남자를 찾지 못하고 늙어갈 수 있어요. 또한 여자는 결혼을 한다고 해서 하이퍼가미의 본능이 사라지는 것이 아닙니다. 언제라도 더 높은 '지위'에 있는 남자가 나타나면 지금의 남자를 버릴 준비가 되어 있답니다. 따라서 하이퍼가미 본능은 결혼에만 국한되는 것이 아니라 모든 상황에서 여자가 남자를 선택할 때 적용되는 거죠.

우선 남자들에게 여자란 알 수도 없고 알려고 해서도 안되는 신비로운 존재가 아니라는 이야기로 시작하겠다. 여자들도 남자와 마찬가지로 기본적인 욕구를 갖고 있는 똑

같은 인간이다. 사실 여성의 본능에 대해 알고 나면 우리가 여자에 대해 궁금해하는 많은 수수께끼들이 풀릴 것이다. 그리고 내가 이 책에서 귀띔해주는 여러 가지 연애 전략의 배경이 되는 기본적인 원리를 이해하게 될 것이다.

계급 사회에서 여자가 사회적 지위가 더 높은 남자와 결혼을 해서 신분 상승이나 가문의 영향력을 확대하는 관습을 인류학에서는 하이퍼가미hypergamy라고 하는데, 이 용어를 빌려서 나는 여자들이 남자들을 선택하는 오래된 짝짓기 전략을 하이퍼가미 본능이라고 부른다. 위에서 수전과 에스코피에가 여성의 하이퍼가미 본능에 대해 내린 정의에 나는 전적으로 동의한다. 수전은 적어도 하이퍼가미의 정의를 정확하게 알고 있다. 그리고 에스코피에는 한 발더 나아가서 하이퍼가미 본능에 대해 보다 심도 있게 분석하고 있다.

우리 사회에서는 남자들을 본능에 충실한 단세포 동물이라고 마음껏 비웃을 수 있지만 여자들의 본능에 대해 이야기하려면 여성을 비하한다는 비난을 받을 각오를 해야한다. 남자들이 여성의 생물학적 조건에 반응해서 젊고 섹시한 여자를 선호하는 방식이 지극히 단순해 보이는 것은 사실이다. 그에 비해 여자들이 남자들을 선택하는 방법은 좀 더 복잡하고 까다롭게 느껴질 수 있다. 하지만 알고 보면 여자들도 유전자에 내재되어 있는 원시적인 욕망에 의해 남자를 선택하는 것은 마찬가지다.

연구에 의하면 여자들은 대부분 테스토스테론의 분비가 왕성한 남자에게 끌리고 남성적인 매력을 느낀다. 테스토스테론은 뇌에서 자신감, 공격성, 모험심을 유발하는 호르몬으로, 여자보다 남자의 체내에서 훨씬 더 많이 생성된다. 또한 동물 사회에서 수컷의 서열과 뇌에서 분비되는 테스토스테론의 상관관계를 연구한 결과, 지배적인 '우두머리 수컷'과 나머지 다른 수컷들의 뇌에서 테스토스테론이 분비되는 방식에 차이가 있는 것이 확인되었다. 서열이 낮은 원숭이들은 위험을 감지하면 주눅이 들면서 스트레스 호르몬 수치가 높아지고 테스토스테론 수치는 낮아진다. 그러나 지배적인 우두머리인 알파 수컷들은 위험에 맞닥뜨리면 체내의 테스토스테론이 증가하면서 강력한 리더가 되기 위해 필요한 의지와 결단력을 갖추게 된다. 여자들이 소위 나쁜 남자에게 끌리는 이유는 승부욕이 강하고 이기적인 남자가 외부의 위험에서 자기 자신과 가족을 지킬 수 있으며 사회적 지위도 높을 것이라는 무의식적인 기대감을 갖기 때문이라는 추론이 가능하다.

여자들의 이러한 하이퍼가미 본능은 의식이나 의지와는 별도로 대뇌 변연계에서 독립적으로 움직이는 서브루틴과도 같은 것이다. 따라서 여자는 하이퍼가미 본능을 자극하고 충족시켜주는 남자가 나타나면 언제라도 그에게 돌아설 준비가 되어 있다. 물론 여자가 어떤 남자를 떠날 때는 여러 가지 개인적인 이유와 문제점이 있을 수 있다. 남자에게 아무 잘못이 없을 거라고 가정하는 것이 아니다. 다만, 남자가 여자에게 노력과 시간을 투자하면 여자가 그에 합당한 보답을 할 것이라고 믿는다면 큰코다칠 수 있다는 것을 알아야 한다.

매노스피어 사이트에는 이혼 경력이 있는 남자들이 결혼 전에 아내가 될 여자를 철저하게 파악하라고 조언하는 글들이 올라온다. 하지만 아마도 인류 역사상 여자를 정확하게 파악하고 결혼한 남자는 없을 것이다(나 자신을 포함해서). 고등학교 때 사귄 첫사랑과 평생을 같이 사는 경우가 드문 것은 다 이유가 있는 것이다. 주변에 재혼남이 있다면 그가 이전의 경험을 살려서 두 번째 아내에 대해 얼마나 객관적인 평가를 내리고 다시 결혼을 했는지 물어보라.

나는 20대 중반에 카지노에서 무대 기술자로 일한 적이 있다. 매일 밤 내가 설치한 무대 위에서 진행되는 마술 연기에는 벵갈호랑이와 판다곰이 등장했다. 조련사는 호랑이와 판다곰을 아주 능숙하게 다루었지만 항상 배우들이나 스태프에게 그 동물들로부터 거리를 유지하고 절대 가까이 다가가지 말라고 주의를 주었다. 아주 유순해 보이는 동물들이지만 여차하면 언제라도 사람에게 덤벼들 수 있다는 것이었다. "이 녀석들은 애완동물이 아니에요. 만만하게 봤다가는 큰일 납니다. 어느 순간 야성으로 돌아가 흉포해질 수 있으니까 조심해야 해요."

　그 동물들은 조련사와 소통을 하며 특별한 유대감을 형성하고 있는 것처럼 보였지만 먹이를 먹는 모습에서는 언뜻 야성의 본능이 보였다. 나는 또 다른 기술자 한 사람과 함께 무대 뒤에서 마술쇼가 진행되는 중간에 호랑이와 판다곰이 들어 있는 우리의 손잡이를 돌려 문을 열어주는 역할을 맡았다. 판다곰은 무대 뒤에 설치된 10cm 두께의 아크릴 판으로 만든 투명 우리 속에서 기다리고 있었다. 그런데 어느 날 판다곰을 우리 밖으로 몰아내기 위해 들어갔을 때 우리 문이 열려 있고 판다곰이 밖에 나와 있는 것을 발견했다. 그 순간 나는 그 '애완동물'과 정면으로 얼굴을 마주보게 되었다. 희미한 불빛 아래서 판다곰은 황록색으로 빛나는 두 눈을 부릅뜨고 들릴 듯 말듯 그르렁거리며 나를 향해 흰 이빨을 드러냈다. 그때 마침 조련사가 안으로 들어와서 판다를 데리고 나갔지만 그 녀석은 나에게 자신이 '애완동물'이 아니라는 것을 확실하게 보여주었다.

우리는 어떤 사람과 맺어지고자 하는 마음이 간절하면 그 사람이 내가 원하는 대로 움직여줄 것이라고 기대한다. 상호 신뢰와 친밀함을 주고받는 특별한 관계를 맺고 있는 사람이 있다는 것은 우리 삶에서 커다란 위안이 된다. 그러나 환경이 변화하면 사람이 어떻게 변할지는 아무도 모른다. 우리의 무의식 깊은 곳에는 원초적인 본능이 도사리고 있다. 눈에 보이지 않는다고 해서 본능을 무시하면 안 된다.

나는 지금까지 여자의 배신으로 인해 삶이 파괴되거나 폐인이 되다시피한 남자들의 사연을 수없이 들어왔다. 지금도 이 글을 읽으며 속이 부글부글 끓어오르는 남자들이 있을 것이다. 그들은 오랫동안 규칙을 지키며 열심히 경기를 했는데 어쩌다 공을 떨어뜨렸을까 의아해한다. 그들이 잘못한 것은 여자의 하이퍼가미 본능에 대해 모르고 있었던 것이다. 그러다가 어느 날 귀여운 판다곰이 야수로 변한 것이다.

<<<<<<<<

인간의 본능을 대수롭지 않게 여기면 언제 그 대가를 치르게 될지 알 수 없다. 남녀는 어떤 시련도 극복하는 사랑으로 맺어질 수 있지만 여전히 개인을 시험하고 영향을 주는 물리 법칙 위에 서 있다. 여자들의 하이퍼 가미 본능은 언제나 그 자리에 있다.

03

∙∙∙∙∙∙∙∙∙∙

짝짓기의
진화심리학

우리가 느끼고 생각하고 행동하는 모든 것은 개인의 경험뿐 아니라 인류의 탄생 이전부터 이어져온 진화 과정을 통해 내면화된 집단무의식*의 영향을 받는다. 남녀가 짝을 선택하고 자손을 번식하는 방법에도 수천 년에 걸쳐 축적된 인류의 집단무의식이 작용하고 있다.

'종족 보존을 위한 짝짓기 과정에서 남성은 양적으로 많은 상대를 원하고, 여성은 질적으로 우수한 상대를 원한다'는 진화심리학적 관점은 인간이 자손을 번식하는 방법에

---

* 집단무의식collective unconscious: 스위스의 정신의학자 카를 구스타프 융이 창안한 용어로 인류가 진화의 과정을 거쳐서 현재에 이르기까지의 오랜 경험을 통해서 저장해온 잠재적 기억.

도 역시 다른 동물들과 마찬가지로 정신 속에 아주 깊숙이 내재된 원초적 본능이 작용한다는 사실을 전제로 한다. 다시 말해 모든 생물은 종족 보존을 위한 최적의 조건을 확보하기 위해 경쟁을 벌이는데, 인간의 남성이 사용하는 방법은 최대한 많은 여성을 통해 자신의 유전자를 후손에게 전달하는 것이다. 반면 여성이 남성을 선택할 때 가장 중요하게 생각하는 조건은 자손에게 건강한 유전자를 전달할 수 있고 안정적인 생활 환경을 제공해주는 것이다. 남성도 물론 나름의 방법으로 번식을 위해 최상의 유전자를 가진 여성을 선택하지만 그 기준은 여성만큼 까다롭지 않다.

남녀의 짝짓기 본능이 어떻게 다른지 보여주는 흥미로운 연구 결과가 있다. 똑같은 옷을 입은 아이들이 모여 있는 무리에서 아빠가 엄마보다 더 신속하고 정확하게 자신의 아이를 알아본다는 것이다. 이것은 남자들의 무의식 속에서 유전자 전달 욕구가 여자보다 더 강력하게 작용하는 결과라고 짐작할 수 있다.

이러한 남녀의 짝짓기 전략은 현실에서 서로 충돌한다. 남자는 최대한 많은 여자들과 짝짓기를 시도하는 반면, 여자는 자신이 선택한 남자가 가정에 충실한 가장이 되기를 원한다. 하지만 문명사회가 발전하면서 점차 남자들은 자신들의 자손 번식 방법을 지양하고 여자 옆에 머물면서 아이들을 함께 키우는 일부일처제의 방식으로 기울어졌다. 다시 말해 남자들은 최대한 많은 여자들을 통해 자신의 유전자를 후손에게 전달하는 방법을 포기하고 한 여자와 함께 살면서 아이들이 양쪽 부모 밑에서 자라도록 하는 방법을 취하게 되었다.

결국 여자들로서는 훌륭한 유전자와 가족을 부양하는 능력 뿐 아니라 가정에 충실할 수 있는 남자를 만난다면 목표를 달성하는 셈이다. 반면에 남자들은 일부일처제를 만들어낸 사회 심리에 의해 결혼하기 전부터 짝짓기 상대를 선택하는 자유에 제약을 받는다. 남자가 타고난 본능에 따라 여러 여자를 만나면 바람둥이 악당이 되는 것이다. 캘리포니아 대학의 심리학 교수인 마티 해슬턴은 여자들이 선호하는 남자의 신체적 특성에 대한 연구에서 다음과 같은 흥미로운 결론을 도출해냈다.

남자들은 짝짓기 시장에서 인정하는 가치에 걸맞은 번식 전략을 추구하도록 진화되었다. 매력적인 남자들은 많은 여자들과 만나지만 자손을 돌보는 일에는 상대적으로 소홀하다. 반면 성적 매력이 덜한 남자들은 여러 여자를 만나면서 시간을 낭비하기보다는 한 명의 여자와 자녀들에게 전념한다. 여자로서는 건강한 유전자와 안정적인 생활 환경을 둘 다 제공할 수 있는 남자를 만나는 것이 가장 유리하다. 하지만 두 가지 조건을 모두 갖춘 남자는 흔하지 않다. 따라서 여자들은 건강한 육체를 가진 남자를 선택할 것인지 아니면 부양 능력을 갖춘 남자를 선택할 것인지 저울질하는 일종의 흥정을 한다. 분명한 사실은 연애 대상으로 남자를 만날 때는 근육질의 건장한 남자를 선호한다는 것이다.

우수한 유전자와 안정적인 삶이라는 두 가지 조건을 제공해줄 수 있는 남자를 찾는 것은 말 그대로 여성의 유전자 안에 새겨져 있다. 여자가 한창 나이에 있을 때는 두 가지 조건을 모두 갖춘 남자를 만나는 것이 어렵지 않다. 왜냐하면 남자들이 여자에게서 원하는 것은 주로 성적 매력이며 다른 조건들은 부수적이기 때문이다. 그러다가 여성으로서 전성기가 지나면 연애보다는 결혼 상대를 찾으면서 순간적인 쾌락이나 즐거움을 주는 남자보다 장기적으로 가족을 부양할 능력이 있고 가정에 충실할 수 있는 남자에게 눈을 돌리게 된다. 여자들의 이러한 연애 전략을 진화생물학적 관점에서 이해한다면 내가 이 책에서 앞으로 이야기하는 다른 내용들도 이해가 될 것이다.

이런 이야기를 하면 마치 여성을 단지 본능에 의해 움직이는 하등동물처럼 여기는 거냐고 비난하는 항의가 빗발친다. 하지만 내가 말하고자 하는 요점은 인간은 남녀를 불문하고 기본적으로 본능적인 욕구에 의해 움직인다는 것이다. 그러한 욕구를 자제하는 이유는 양심의 가책, 사회적 평판, 도덕관념 때문이다. 아니면 연애 시장에서 여성으로서의 가치가 떨어졌기 때문일 수도 있다. 어쨌든 여자들이 기본적으로 원하는 것은 자유롭게 여러 남자들과 연애를 하고 결혼을 할 때는 가장으로서 책임을 다할 수 있는 남자를 선택하는 것이다.

얼마 전 내 블로그에 한 순진한 남자가 여자들의 입장을 옹호하는 다음과 같은 글을 올렸다.

"여자들은 남자를 만나면 천천히 단계를 밟아가기를 원합니다. 진지한 관계는 시간이 필요하니까요. 남자들이 알고 있는지 모르겠지만, 여자들은 남자들이 멍청하고 무분별하다고 생각해요. 사실 많은 남자들이 그래요. 여자들이 밀당을 하는 이유는 자신과 어울리는 남자를 추려내기 위한 것입니다."

여성의 하이퍼가미 본능에 대해 알지 못했다면 나도 이런 말에 동의했을 것이다. 매력적이고 정숙한 여자가 이성적인 판단으로 자신에게 가장 잘 맞는 짝을 추려서 골라낸다면 멍청하고 무분별한 남자들을 위해 얼마나 다행스러운 일인가. 하지만 예나 지금이나 여자들의 실제로 하는 선택과 행동은 이러한 기대에 부합하지 않는다. 착하고 지성적인 여자처럼 보여도 언제나 하이퍼가미 본능에 따라 알파남을 유혹할 준비가 되어 있다. 그리고 결혼을 할 때는 바람둥이를 걸러내고 장기적으로 안정적인 생활을 제공해줄수 있는 착실한 남자를 선택한다.

그렇다면 남자들은 어떤 전략으로 여자들의 하이퍼가미 본능에 대처해야 할까? 남자가 여자를 선택하는 기준은 인생의 단계에 따라 어느 정도 달라질 수 있다. 하지만 이제막 연애 시장에 발을 들여 놓은 젊은이라면 서두르지 말고자신의 시장 가치를 가늠해보면서 최대한 많은 경험을 쌓으라고 말해주고 싶다. 이런저런 여자들을 만나다 보면 남녀관계에서는 처음부터 정해진 짝이 있는 것이 아니며 사람들마다 각자 나름의 장점을 갖고 있고 함께 어울리면서서로의 장단점을 조화시킬 수 있다는 것을 알게 된다.

청년들에게 내가 인생의 선배로서 가르쳐주고자 하는 연애 전략들은 단순한 속임수나 기술이 아니라 남성의 긍정적인 정신력과 주체성을 회복하기 위한 방법이다. 성인으로서 독립적으로 생각하고 행동한다고 자부하는 남자들은 자신의 생각과 행동이 사회적으로 길들여진 결과라는 사실을 믿고 싶어 하지 않는다. 그래서 내가 하는 이야기를 개인적인 피해의식에서 비롯된 것처럼 폄하한다. 아니면 차라리 인간 내면에 숨어 있는 동기 따위는 모르고 사는 것이 낫다는 식의 입장을 취한다.

나는 홀로 고고한 척 해묵은 도덕관념에 사로잡혀 사는 것보다는 세상물정에 맞게 인생을 설계하는 것이 건강하고 현실적인 삶의 태도라고 생각한다. 적을 알고 시작하면 싸움의 반은 이긴 것이라는 말이 있듯이, 남녀관계에서도 여자들의 내면에 숨겨져 있는 본능을 이해할 때 짝짓기 경쟁에서 승리할 수 있다.

04

....

남성은 쓰고 버리는
소모품이었다

나는 종종 어떤 주제에 몰두해서 글을 쓰다가 문득 내 의도를 독자들이 오해할 수 있겠다는 생각이 든다. 그래서 앞에서 쓴 글을 다시 읽고 수정을 하거나 가필을 하기도 한다. 그런 과정을 거쳐 글을 써내려가면서 나는 남녀관계에 대해 우리가 알고 있는 속설들이 어떤 과정을 거쳐 사회적 합의로 발전하게 되는지에 대해 생각하게 되었다. 이 장은 원래 '여성을 중심으로 움직이는 세상'이라는 제목을 붙이려고 했는데 세상이 그렇게 돌아가고 있는 이유는 무엇보다 남자들이 같이 동조를 하기 때문이다.

우리 조상들의 짝짓기 방식은 알파남의 지배와 여성의

하이퍼가미 본능이 조화를 이루었을 것이다. 원시시대에는 육체적으로 강한 남자들이 밖에 나가 사냥을 하고 종종 맹수들이나 다른 부족들과 싸워야 했다. 그리고 싸움에서 살아남은 남자들에게는 성적인 보상이 주어졌다. 여자들은 호랑이의 날카로운 이빨로부터 자신을 보호해주는 남자들에게 감사의 대가로 다리를 벌려주었을 것이다. 부족 간에 전쟁이 일어나면 패배한 부족의 남자들은 쓰고 버려지는 소모품이 되었고 여자들은 승리한 부족이 차지하는 전리품이 되었고 종족 번식을 위해 남겨졌다.

이러한 역사가 반복되는 과정에서 여성은 전쟁 과부가 될 경우에 대비하는 심리기제를 갖추게 되었다. 과거 원시시대의 야만적인 잔인함을 고려해보면 여자들이 과거의 남자에게 충실했던 감정을 신속하게 포기하고 새로운 남자에게 옮겨가는 것은 생존을 위한 불가피한 선택이었을 것이다. 그리고 그러한 방식은 여자들의 무의식 속에서 일종의 생존기제로 발전했을 것이다. 환경 변화에 유연하게 대처하는 능력이 뛰어난 여자들이 인류의 종족 보존에 크게 기여해온 것은 의심할 여지가 없다.

언뜻 생각하기에 감정을 잘 드러내지 않는 남자들이 심

리적 충격을 쉽게 극복할 것처럼 보이지만 사실은 정반대다. 연구 결과를 보면 남자들이 트라우마를 극복해내기까지 여자들보다 훨씬 더 오래 걸린다. 그에 비해 여자들은 현실을 극복하고 적응하는 능력이 뛰어나다. 한 가지 이유는 위에서 이야기한 것처럼 진화 과정에서 여자들이 무의식적으로 정신적 압박감을 무시해버리거나 차단해버리는 심리기제를 습득했기 때문일 것이다.

따라서 여자들이 남자들의 희생을 당연시하고 감사할 줄 모르는 것은 공감 능력이나 지적인 이해력이 떨어지기 때문이 아니다. 여자의 변심과 냉담함은 바로 무의식에 내재된 생존기제에서 기인한다는 것이 나의 생각이다. 전쟁 과부들은 새로운 지배자를 섬기기 위해 죽은 남편을 가능하면 빨리 잊어버리고 애정을 옮겨가야 했을 것이고 그렇지 못하면 견디기 힘들었을 것이다. 그러면서 여성의 무의식은 생존을 위해 현실에 탄력적이고 유연하게 대처하는 능력을 갖추게 되었다.

내가 전쟁 과부의 변심에 대한 글을 올리자 예상했던 대로 여자들로부터 집중포화가 쏟아져 들어왔다.

"롤로, 당신 이야기는 정말 불쾌하군요. 여자들은 언제라도 한

남자에 대한 감정의 '스위치를 끄고' 다른 남자에게로 옮겨갈
수 있도록 타고난다는 건가요?"

나는 여자들이 하는 행동이 도덕적인지 아닌지를 따지려
는 것이 아니다. 다만 여자들은 남자들이 원하는 방식의 사
랑을 하지 않는다는 것을 알려주려는 것뿐이다. 굶주린 늑
대가 아름다운 엘크 사슴을 잡아먹는다고 비난할 수는 없
다. 동물이나 인간이나 생존을 위해서는 자연이 만들어준
본능에 따라 행동한다. 여자들이 언제라도 조건이 더 나은
남자가 나타나면 애정을 옮겨갈 수 있는 준비가 되어 있는
것도 마찬가지다. 여자들이 계산적인 밀당 테스트를 하거
나 사귀던 남자와 헤어지면 뒤도 돌아보지 않고 떠날 수 있
는 것은 여성 내면의 이러한 원초적인 자기방어 기제가 작
용하기 때문이다.

심리학 용어로 스톡홀름 증후군이라고 부르는 이상 심리
가 있는데, 자신의 목숨을 위협하는 가해자에게 공감이나
연민과 같은 긍정적인 감정을 느끼는 것을 말한다. 인질 사
건과 같은 극한상황에서 피해자들이 스트레스와 두려움으
로 인해 시간이 흐르면서 인질범들에게 온정을 느끼게 되
고, 오히려 자신을 구출하려는 사람들에게 반감을 갖게 되

는 것이다. 이러한 이상 심리가 여자들에게서 훨씬 더 뚜렷하게 나타난다는 심리학 연구 결과는 여자들이 감정적인 투자를 쉽게 옮겨 가는 경향이 있다는 것을 미루어 짐작하게 해준다.

지구상의 모든 생물은 종족 보존의 본능을 갖고 있으며, 여성을 보호해야 하는 약자로 여기는 것은 원시시대로부터 이어져온 사회적 합의에 의한 결과다. 하지만 인간의 심리는 단순한 종족 보존의 차원에서 더 나아가 훨씬 복잡하고 세련된 방식으로 진화되었다. 이를테면, 문명이 발달하면서 쓰고 버려지는 남성의 역할에 대한 인식도 발전했다. 남자들 스스로 여자들을 위해 희생하는 것을 명예롭게 생각하게 된 것이다. 우리는 남자들이 전쟁에서 목숨을 잃는 것을 명예, 의무, 용기라는 말로 합리화하고 치하한다. 결국 우리 사회에서 남자가 제대로 인정을 받기 위해서는 자신을 희생해야 하고 아니면 겁쟁이나 배신자라는 비난을 감수해야 한다.

아직까지는 우리 사회에서 남자들이 기득권을 갖고 있는 것이 사실이다. 하지만 현대에는 정신노동을 요구하는 직종이 대부분이고 여자들에게도 남자들과 동등한 기회가 주어지고 있다. 체력이 아닌 사회적 지능과 의사소통 능력 등이 요구되는 현대의 노동시장에서는 여성이 남성을 따라잡고 있다. 게다가 여자들은 아이를 낳고 돌보는 역할을 해야한다는 이유로 병역의 의무를 비롯해서 여러 가지 의무에서 면제를 받고 있다. 연구 조사에 의하면 여자들은 남자들과 역할을 바꾸는 것에 대해 오히려 남자들보다 거부감이 강하다고 한다. 여자들은 자신들이 사회적 약자라고 주장하면서 다른 한편으로는 남자들에게 의존하려는 의식이 있지 않은지 돌아볼 필요가 있는 대목이다.

05

. . . .

백기사 신드롬

한 젊은이가 매노스피어 사이트에 다음과 같은 질문을 올렸다.

"우리 부모님(아빠는 엄마에게 꼼짝없이 쥐여서 삽니다.)은 제가 여자들을 만나는 태도가 지나치게 불성실하고 성적으로 문란한 것처럼 생각하십니다. 그들에게 남녀의 원나잇스탠드는 말도 안 되는 짓이죠. 사실 우리 부모님 뿐 아니라 제 주위에 있는 사람들은 대부분 운명적 사랑을 믿습니다. 제 친구들 중에는 벌써 결혼을 해서 살림을 차린 녀석도 있어요(저는 21살입니다.). 그들은 한 여자에게 정착을 하지 않는 남자는 부도덕한 바람둥이고 결국은 인생에 실패할 것이라고 생각하죠. 하지만 내가 알기로는 여자들이 남자에게서 매력을 느끼는 특성은 도덕이나 성실성과는 거리가 멉니다. 여자들은 성적인 매력을 풍기는 남자를 좋아해요. 이런 이야기를 공개적으로 해도 되는 건지 모르겠지만 당신의 생각을 듣고 싶군요."

나는 먼저 젊은이가 솔직하고 통찰력 있는 질문을 해준 것에 대해 칭찬해주고 싶다.

영화 〈매트릭스〉를 보면 모피어스가 네오에게 그들이 어떤 세상에서 살고 있는지 이야기하는 다음과 같은 대사가 나온다.

"매트릭스는 하나의 시스템이네, 네오. 그 시스템은 우리를 가두어두고 있는 적이지만 모두들 그것을 당연하게 알면서 살고 있지. 주변을 둘러보면 뭐가 보이는가? 직장인, 교사, 변호사, 목수 등이 보이지. 우리는 그들을 구원해야 하네. 하지만 그 전까지 그들은 시스템의 일부라는 것을 잊지 말아야 하네. 그들 대부분은 아직 매트릭스에서 플러그를 뽑을 준비가 되지 않은 사람들이지. 그들은 매트릭스 시스템에 완전히 길들여져 있기 때문에 누군가 그 시스템을 공격하지 못하도록 필사적으로 방어를 할 거네."

우리는 남녀관계가 여성을 중심으로 움직이는 매트릭스 안에서 살고 있다. 내가 여자들에 대해 비판적인 이야기를 하려고 하면 어디선가 남자들이 벌떼처럼 달려들어 나의

<<<<<<<<

매트릭스에 맞서 싸우는 저항군 지도자 모피어스는 네오에게 빨간약과 파란약을 보여주며 하나를 선택하라고 한다. 빨간약을 먹으면 냉혹한 진실과 마주하게 되고 파란약을 먹으면 계속해서 매트릭스 속 가상의 현실에서 살게 된다. 네오는 빨간약(레드필)을 선택한다.

'잘못된' 생각을 바로잡아주려고 애쓴다. 여성을 보호해야 한다는 기사도 정신으로 무장한 남자들이 여자들 편에 서서 '남성 우월주의'를 바로잡기 위해 호시탐탐 기회를 엿보고 있다. 여자들의 입장을 대변하기 위해 애쓰는 순진하고 고상한 백기사들은 그들을 길들이는 매트릭스 시스템을 방어하고 약자인 여자들을 보호하기 위해 싸우는 것이 남자의 명예를 지키는 일이라고 믿는다. 그들은 익명성이 보장되는 온라인 공간에서도 여자들로부터 박수갈채를 받으려고 애쓰는 것처럼 보인다.

남자의 명예는 여자들이 만든 개념은 아니지만 여자들의 목적에 부응하도록 재창조되었다. 남자들이 스스로 어깨 위에 짊어지고 있는 명예라는 개념은 여자들의 하이퍼가미 본능을 실현하는 수단으로 이용되어 왔다. 남자들은 대의를 위해 희생해야 하고, 어떤 문제가 생기면 합리적으로 해결해야 하고, 약속을 하면 반드시 지켜야 한다는 의무감을 갖고 있다. 자기 자신을 숨기지 말고 모두에게 공명정대해야 한다. 겉과 속이 다른 남자는 파렴치한이고, 의도가 아무리 좋아도 떳떳하지 못한 방법을 사용하면 남자답지 못한 행동이 된다. 이 모든 것을 지켜야만 우리 사회에서 남자로 인정을 받을 수 있다. 게다가 남자들 자신이 명예를 무엇보다 중요시했던 시대에 대한 향수를 갖고 있다.

역사적으로 재색을 겸비한 여장부였던 클레오파트라의 이야기는 여자가 남자들의 명예욕을 이용해서 유리한 위치를 확보할 수 있었던 대표적인 예다. 그녀는 남자들의 공명심을 자극하여 전쟁을 부추기고 그에 대한 보답으로 육체적인 향락을 제공했다. 지금도 여자들은 남자들의 명예를 높이거나 추락시키는 것으로 자신이 추구하는 목적을 달성한다. 여자들은 명예를 중요시하는 남자들의 심리를 이용해서 자신들이 원하는 남성상을 요구한다. 그럼에도 불구하고 여자들이 남자들을 가부장적이라고 비난하는 주장은 언제나 칭송을 받는다. 남자들의 탄압에 맞서 여성의 권리를 위해 싸우는 것은 언제나 합당하고 정당하며 인류가 발전하는 길처럼 보이기 때문이다.

결국 남자들은 이러지도 저러지도 못하는 신세가 되었다. 남자로서 책임을 다해야 하지만 그러다가 주제넘다고 핀잔을 맞기도 한다. 남자다움을 보여주면 어느 때는 명예로운 남자가 되기도 하고 어느 때는 남성우월주의자가 되기도 한다. 마초라는 비난을 받는 동시에 남자답다는 칭찬을 듣는다. 여자가 원할 때는 언제라도 남자다워져야 하고 한 번 약속을 하면 반드시 지켜야 한다. 평소에는 배려하고 공감하는 능력을 배워야 하고 유사시에는 용기와 결단력을 보여야 한다.

반면 여자들은 변덕이 죽 끓듯 해도 '여자의 변심은 무죄'라는 면죄부를 받는다. 요즘 여자들은 남자들과 동등한 기회를 달라고 주장하지만 다른 한편으로는 단지 여성이라는 이유만으로 특별대우를 받는 것을 당연하게 생각한다.

중세 유럽에서 귀부인에 대한 절대적인 헌신을 이상으로 여기는 '궁정연애'의 개념이 생겨난 이후로 여자들의 특권의식은 지금까지 서구 문화에 뚜렷이 남아 있다. 변함 없는 사랑을 바치는 남자와 귀부인과의 관계는 가신과 군주의 관계와 매우 유사했다. 단테의 『신곡 La divina commedia』은 베아트리체에 대한 사랑을 종교적 신비주의와 융합해서 창조한 작품이다. 베아트리체는 지상에서는 단테에게 시적 영감을 주는 영원한 연인이었고 천상에서는 그를 인도하는 영적인 길잡이로 묘사된다. 사실 남녀관계에서 모든 낭만과 환상을 버리고 현실적으로 따지고 든다면 인생이 무척 무미건조하게 느껴질 것이다. 남녀가 맺어지기 위해서는 서로에게 어느 정도 신비감이 필요하다. 사랑, 명예, 진실, 존중과 같은 것은 아무짝에도 쓸모가 없다고 말하려는 것이 아니다. 명예는 당연히 중요시해야 한다.

다만 남자들이 소위 명예라는 이름으로 우리 사회에서 어떤 식으로 이용을 당하고 있는지 알아야 한다. 나는 이 책이 독자들에게 현실을 자각하는 레드필이 될 수 있기를 바란다. 억눌려 있는 남성성을 회복하는 것은 연애기술을 습득하는 것보다 남녀 관계의 현실을 알고 인식하는 것이 먼저다. 우리 자신을 발전시키기 위한 변화는 의식의 전환으로부터 시작되기 때문이다.

여자의 하이퍼가미 본능이 당연시하거나 상관하지 않는 것

* 남자가 여자를 위해 진로나 직업을 바꾸는 것.

* 여성 취향의 영화를 같이 보는 것.

* 여자의 실수를 용서해주는 것.

* 여자의 결정에 언제나 찬성하고 여자 편에 서주는 것

* 여자의 투정과 잔소리를 참고 들어주는 것.

* 밖에서 일하고 돌아와 가사를 돌보는 것.

* 결혼 서약을 지키는 것.

* 여자가 다른 남자하고 낳은 아이를 호적에 올려주는 것.

* 아이들에게 자상하고 다정한 아빠라는 것.

* 여자의 친정 식구들을 도와주는 것.

2장

실전

06

·········

남녀관계의
기본 원리

어떤 관계에서나 상대방을 덜 필요로 하는 쪽이 힘을 갖고 있다.

이 원리는 남녀관계뿐 아니라 가족관계, 사업관계 등 모든 인간관계에 적용된다. 고용인과 고용주의 관계를 생각해 보자. 고용인은 고용주가 시키는 대로 새벽에 일어나 출근을 하고 늦은 밤까지 일한다. 그런데 만일 복권에 당첨이 되어서 개인 사업을 시작하거나 학위를 따서 더 나은 직장으로 옮겨갈 수 있는 능력을 갖추게 된다면 현재의 고용주에게 덜 의지하게 되고 협상을 해서 고용 조건을 개선할 수 있는 힘이 생긴다. 적어도 고용주가 그를 필요로 한다면 함부로 부당한 근로조건을 강요할 수 없을 것이다.

남녀관계도 다르지 않다. 내가 블로그에서 남녀관계에서 작용하는 힘의 역학에 대해 쓴 글을 읽고 많은 독자들이 여자와 힘겨루기를 하라는 뜻으로 오해한다. 나는 절대 그런 의도로 말하는 것이 아니다. 사실 불필요한 힘겨루기를 하지 않기 위해라도 처음 만날 때부터 두 사람 사이에 힘의 균형을 이루는 것이 필요하다. 우리는 누군가를 만나면 의식적이든 무의식적이든 각자의 기준에 따라 상대방을 평가한다. 남녀가 서로를 받아들이는 것은 어떤 식으로든 두 사람 사이에 힘의 역학에 관한 합의가 이루어졌기 때문이다. 그렇지 않으면 관계가 시작되지 않는다.

우리는 힘을 가진 사람이라고 하면 흔히 영향력, 돈, 특권, 리더십 등을 생각한다. 하지만 여기서 내가 말하는 힘은 남자가 자신의 인생을 스스로 관리할 수 있는 능력을 의미한다. 진정한 힘은 우리 내면에서 나온다. 화장을 바꾸고 옷을 바꾸고 머리 색깔을 바꾸고 가슴 크기도 바꾸면서 끊임없이 외모에 변화를 주는 여자들이 있다. 이것을 겉모습으로 내면을 바꾸기를 바라는 아웃사이드인 심리라고 한다. 자기 자신에게 만족하지 못하고 무언가 부족하게 느끼는 것을 외부적으로 보완하려는 것이다. 남자들이 현실을 직시하고 열등감을 극복하겠다는 의지를 다지는 것이 아니라 다른 곳에서 변명거리를 찾는 것도 마찬가지다.

진정한 힘은 우리 자신을 스스로 관리하는 능력에서 나온다.
진정한 힘은 인생의 진로를 스스로 개척할 수 있는 능력에 있다.

많은 남자들이 주변 사람들의 강요나 가정에서의 책임과 의무 때문에 인생의 진로를 스스로 선택하고 개척할 수 있는 기회를 놓치고 있다. 아니면 자신을 가두고 있는 감옥을 열 수 있는 열쇠를 갖고 있어도 불확실한 미래에 대한 두려움 때문에 겁에 질려 옴짝달싹 하지 못한다.

인상파 화가 폴 고갱은 아름다운 작품 뿐 아니라 파격적인 삶 자체로 유명하다. 취미 삼아 그림을 그리다가 화가가 되기로 결심했을 때 그는 이미 성공한 은행가로 아내와 자식도 있었고 남부럽지 않은 삶을 살고 있었다. 하지만 그는 본격적으로 그림을 그리기 위해 이전의 삶을 미련 없이 던져버렸다. 게다가 어느 날 문명사회에 염증을 느끼고 타히티 섬으로 가서 오로지 그림 그리는 일에 몰두해서 살다 세상을 떠났다. 누군가는 그가 불행한 삶을 살았다고 생각할 수도 있고 누군가는 그가 이기적인 욕망을 채우기 위해 가장으로서의 책임을 버렸다고 비난할 수도 있다. 하지만 누가 뭐라고 하든 그는 보통 사람들은 엄두도 내지 못하는 주체적이고 자유로운 삶을 살았다.

여자는 관심이 있는 남자에게 밀당 테스트를 한다. 누가 더 상대방을 필요로 하는지를 가늠해보는 것이다. 그리고 많은 남자들이 아무 생각없이 여자의 밀당 테스트에 휘말려 들어간다. 그래서 자기주장을 버리고 여자가 하자는 대로 따라가게 되고 결국은 여자의 프레임 안으로 들어가게 된다. 이것은 남자가 자신의 삶을 관리하는 주인이 되기를 포기하는 것과 같다. 여자의 밀당에 휘말리지 않고 주체성을 유지하는 것이 테스트를 통과하는 비결이다. 만일 밀당 테스트를 통과하지 못하고 퇴짜를 맞는다고 해도 내일 더 좋은 여자를 만날 것이다. 나는 남자가 이런 마음을 갖는 것을 '깨우친 이기심'이라고 일컬으며 전적으로 지지하는 바이다.

하지만 종종 전도유망한 청년들이 자신이 가진 잠재력과 가능성을 시험해보지도 못한 채 운명적 사랑이라고 생각하는 여자를 놓치지 않으려고 원하지 않는 진로를 선택하는 것을 보곤 한다. 여자 때문에 대학에서 원하는 전공을 바꾸거나, 더 나은 직장을 구할 수 있는 기회를 마다하고 지금 있는 자리에 눌러앉았거나, 생각조차 해본 적이 없던 외국에 가서 일자리를 구하거나, 자신의 기대나 능력에 미치지 못하는 직업을 선택하거나, 모태신앙을 버리고 개종을 한다. 그렇게 자신의 모든 것을 희생하고 지구를 반 바퀴나 돌아서 열정이 식어버린 결혼 생활을 시작한다.

남자가 결혼을 해서 평생 가족을 부양하며 산다면 적어도 자신이 원하는 일을 하면서 살 수 있어야 한다는 것이 내 생각이다. 하지만 많은 남자들이 처자식을 벌어 먹이기 위해 전쟁터와 같은 직장에서 눈치를 보며 일하고 있다. 게다가 집에 들어가면 여자가 요리와 청소로 많은 시간을 보내는 것을 안타까워하고 도와주지 못하는 것을 미안하게 생각해야 한다. 자유로운 삶에 대한 열망을 이야기하면 영원히 철들지 않는 아이 취급을 받는다.

남녀관계에서는 두 사람의 필요와 의지에 따라 힘이 이쪽에서 저 쪽으로 옮겨 다니는 것이 정상이다. 두 사람은 가끔 다투기도 하면서 애정을 다시 한 번 확인한다. 하지만 언제나 어느 한쪽이 주도권을 갖고 상대방을 마음대로 조종하는 것은 건전한 관계가 아니다. 여자가 학대를 당하면서도 남자가 언젠가는 변하리라고 생각하고 떠나지 못하거나 남자가 평화와 안정을 위해 여자에게 무조건 양보하면서 사는 것은 어느 한 쪽이 스스로 자신을 굽히고 들어가기 때문이다. 남자든 여자든 단지 관계를 유지하기 위해 자신을 헐값에 매기고 모든 것을 양보하는 식의 타협은 위험하다는 것을 알아야한다.

무엇보다 인생이 걸린 문제에서는 결코 타협을 해서는 안 된다. 그럴수록 남자로서의 가치는 떨어지기 마련이다. 남자가 자신을 희생하면서 관계를 지키려고 노력하는 것을 여자가 고마워할 것이라고 생각하면 오산이다. 선례가 생기면 여자는 점점 더 남자를 가볍게 여기게 되고 남자는 결국 여자의 동정심에 구걸하는 신세가 된다. 그렇게 해서 관계를 유지한다고 해도 더 이상 여자에게서 진정한 관심도 순수한 열정도 기대할 수 없을 것이다.

진정한 남자라면 주체적으로 자신의 진로를 선택해야 한다. 남들이 가지 않는 길을 선택하는 것은 준비가 되지 않은 상태에서는 무모한 모험이 될 수 있다. 하지만 젊음이 아름다운 이유는 실패해도 다시 일어설 수 있기 때문이다. 아직 젊을 때 자신의 가치와 가능성을 시험해볼 기회를 놓치지 말기 바란다.

<<<<<<<<

반쪽 신화에 빠져 있는 남자들은 어쩌다 마음에 드는 여자를 만나면 시간과 노력과 자원을 아낌없이 투자한다. 그 과정에서 가능성이 없는 여자에게 몇 년을 허비할 수 있다. 그동안 더 나은 여자를 만날 수 있는 기회는 다 날아간다. 이런 남자들은 여러 여자를 만난다는 것이 자신의 신념에 위배가 된다고 느낄 수 있다. 오래된 믿음을 버리는 것은 오래된 친구를 죽이는 것과 같다는 말이 있다.

07

....

알파남의 정의

내 블로그의 독자인 제레미는 왠지 모르게 여자들에게 인기가 많아서 뭇 남자들의 질투과 부러움을 사는 알파남의 특성에 대해 심리학에서 오래 전부터 다루어온 질문을 올렸다.

"알파남의 특성은 타고나는 것인가요, 아니면 학습되는 것인가요? 현대 남자들 중 타고난 알파남은 얼마나 되나요? 지금처럼 페미니즘이 지배하는 세상에서 알파남이 인기를 얻을 수 있다는 것이 믿어지지 않는군요."

매노스피어 사이트에서는 알파남의 정의를 두고 끊임없이 논쟁이 벌어진다. 남자들이 알파남의 특성에 대해 이야기하다가 종종 논점이 흐려지곤 하는 이유는 각자 주관적인 입장에서 생각을 하기 때문이다. 남자들은 누구나 자신이 남자답다고 생각하고 싶어 한다. 그렇지 못하다고 생각하면 매우 우울할 것이다. 심지어 현관에 깔아놓은 매트처럼 평생 여자에게 짓눌려서 살아온 남자도 여자를 유혹할 수 있는 자기만의 특별한 비결을 갖고 있다고 자부한다. 여자에게 애걸복걸하거나 호구 노릇을 하거나 간에 자신의 방식이 여자를 유혹하는 최고의 방법이라고 생각한다. 우선 당신이 생각하는 알파남은 어떤 남자인지 생각해보라. 그 다음에 그 생각을 한쪽으로 밀어놓고 읽어 내려가기 바란다.

어떤 특징들이 알파남을 만드는지에 대해 조목조목 따져서 이야기하기는 어렵지만 남녀관계의 역학을 통해 대충 짐작해볼 수는 있다. 우선 알파남이라는 용어가 어디에서 유래되었는지 알아보자. 동물들의 피라미드식 계급 체계에 대해 들어본 적이 있다면 사회 집단 내에서의 알파와 베타의 원리에 대해 알고 있을 것이다. 알파는 유전적 특성과 리더십이 뛰어나서 가장 높은 지위에 속하는 개체들을 일컫는 용어다. 베타는 알파가 아닌 나머지 무리나 집단을 말한다. 알파와 베타라는 용어는 인간사회에서도 마찬가지로 여자들이 어떤 특성을 가진 남자에게 성적 매력을 느끼는 지를 이야기할 때 편리하게 사용할 수 있다. 야생동물의 세계나 인간세계나 종족 보존을 위해 경쟁하는 방식은 유사하기 때문이다.

내가 정의하는 알파남은 한마디로 성적 매력이 풍부해서 여자들이 거부할 수 없게 만드는 남자를 의미한다. 알파남이 되기 위해서는 어떤 특별한 조건보다는 남자로서의 자신감을 갖추는 것이 우선이다. 한 가지 대표적인 특징은 우리 사회가 남자들에게 부과하는 모든 제약들을 초월해 있는 것처럼 보이는 것이다. 이런 면에서 알파남은 어린 아이들을 닮았다. 어린 아이들은 누구의 눈치도 보거나 어떤 기준에 맞추려고 하지 않고 자신의 욕구에 충실하게 행동한다. 하지만 자라는 동안 사회에 길들여지면서 그러한 순수함을 잃어버린다.

알파남을 정확하게 정의하면 사람들이 저마다 이상적이라고 생각하는 남성상과 충돌할 수 있다. 어떤 사람들은 고결하고 정의감에 불타는 상남자를 생각하는데, 이것은 알파남을 도덕적인 관점에서 정의하는 것이다. 그런 식으로 정의하면 알파남은 규범에 따라 모범적으로 행동하고 사회

71

적으로 존경을 받는 사람이어야 한다. 하지만 슬프게도 교도소 감방은 알파남들로 북적거린다. 그들은 알파의 특성을 파괴적이고 반사회적인 행동으로 드러내는 남자들이다. 다시 말해, 올림픽 챔피언이든지 건달이든지 알파남이 될 수 있다. 알파남 중에는 성품이 고결하고 원대한 이상을 지닌 남자가 있는가 하면 여자를 때리는 비열한 인간들도 있다. 상냥한 알파남이 있는가 하면 거친 알파남도 있다. 난폭한 폭력배, 자상한 아버지, 위대한 지도자도 알파남이 될 수 있다. 또한 여자들이 많이 따른다고 해서 반드시 알파남이라고는 할 수 없다. 마음가짐은 베타남이지만 용모가 수려해서 여자들이 달려드는 경우도 있다.

남자들은 여자들에게 특별히 잘해주는 것도 아닌데 인기가 많은 알파남들을 보면 은근히 화가 치밀 수 있다. 한 여자에게 정착하지 않고 이 여자 저 여자 만나고 다니는 남자들은 문제가 있는 것이 아닌가? 도덕적 관점에서 보면 그들은 남자로서 존중받을 자격이 없다. 그런데 어찌된 영문인지 여자들은 자기애가 강한 나쁜 남자들에게 끌리는 경향이 있다. 여자의 하이퍼가미의 본능은 이기적이고 승부욕이 강한 남자가 자신이 원하는 조건을 충족시켜줄 것이라고 느끼기 때문이다. 따라서 여자들에게 인기가 있는 알파남이 되기 위해서는 오히려 불필요한 양심은 접어두는 것이 유리할 것이다.

위에서 소개한 질문으로 돌아가서 알파남의 특성은 원래 타고나는 것인지 아니면 의지로 배울 수 있는 것인지에 대해 생각해보자. 개인이 갖고 있는 능력이나 성격이나 특성 등이 선천적인지 후천적인지, 생물학적으로 타고난 본성인지 학습과 사회화 과정의 결과인지를 가려내는 것은 심리학이 오래 전부터 다루어온 문제다. 대부분의 심리학자들은 선천적으로 타고난 천성이나 기본적인 생존 본능까지도 외부 환경과 본인의 의지에 의해 변할 수 있다고 입을 모은다. 따라서 알파남의 특성 역시 그 출발은 선천적이지만 이후에는 교육, 문화, 사회 환경에 따라 정제되거나 발전하거나 아니면 제한될 수 있다는 것이 내 생각이다.

내가 해줄 수 있는 말은 알파남은 타고났거나 스스로 계발을 했거나 간에 알파다운 마음가짐을 가지고 있다는 것이다. 다시 말해, 남자의 알파다운 행동은 마음가짐에서 비롯된다. 여기서 말하는 알파다움은 사회적 지위나 고결한 성품과는 관계가 없다. 그보다는 남자다운 자신감을 갖춘 마음가짐이 밖으로 드러나는 것이다. 알파남의 마음가짐을 갖춘다면 애써 노력하지 않아도 여자들에게 남성적인 매력을 어필할 수 있다. 물론 외모와 생활 능력과 같은 부차적인 조건들까지 갖춘다면 여자들에게는 완벽하게 이상적인 배우자감으로 보일 것이다.

알파남처럼 보이려면 어떤 식으로 행동해야 하는지 구체적으로 묻는 질문에 한 가지 요령을 알려주자면 자신의 장점과 약점을 알고 전략을 세우라는 것이다. 예를 들어, 똑똑해 보이겠다고 부족한 지식을 자랑하거나 따분한 철학적 논쟁을 펼치지 말라. 몸치라면 막춤을 즐기는 것으로 만족하자. 제대로 된 춤을 보여주겠다고 덤비다가는 망신이나 당하기 십상이다. 여자의 마음을 얻기 위해 필사적이 될수록 뭔가 부족한 점을 감추려는 듯이 보이기 때문이다. 따라서 약점을 보완하려고 애쓰기보다 장점으로 승부하는 것이 효과적이다.

과학자들은 호르몬이 행동을 결정할 뿐만 아니라 행동이 호르몬 수치를 바꿔놓기도 한다는 사실을 발견했다. 동물행동학에서 말하는 '승자 효과'란 성공의 경험이 체내에서 분비되는 테스토스테론을 증가시키고, 이는 다시 담대한 행동으로 이어져서 많은 성공을 불러온다는 학설이다. 우리는 종종 어떤 사람이 지위나 인기를 갑자기 얻고 나더니 달라졌더라는 말을 듣는다. 이것은 단지 보는 사람의 시각이 달라진 것이 아니라 현실에서 승리를 경험하거나 권력을 얻은 사람의 뇌에서 변화가 일어나기 때문이다. 작은 성공을 거두어본 사람일수록 더 큰 성공을 거둘 가능성이 높다. 많이 이겨본 사람이 잘 이기며 성공도 성공을 해본 사람이 한다. 그러면서 지능지수까지도 바뀐다. 경험과 의지가 뇌의 활동을 확장하기도 하고 위축시키기도 하기 때문이다.

우리는 신이 아닌 인간이기에 모든 능력을 갖출 수는 없지만 각자 잘할 수 있는 것이 있다. 남자는 자신이 좋아하고 잘 하는 뭔가에 열중해 있을 때 가장 섹시하고 매력적인 분위기를 발산한다. 비전과 열정을 가진 남자에게는 반드시 따르는 여자들이 생기기 마련이다.

세상일이 더 편해지고 나아지기를 바라지 말고 자신의 가치를 높이기 위해 힘써라. 이 세상은 치열한 생존경쟁의 장이다.

08

....

궁색하지 않은
남자가 돼라

    곡예사가 가늘고 긴 막대기 위에 접시들을 올려놓고 돌리는 광경을 상상해보자. 훌륭한 곡예사일수록 민첩하고 능숙하게 동시에 많은 접시들을 돌린다. 접시들을 돌리다보면 어떤 것은 떨어져서 깨질 수도 있고, 어떤 것은 원하는 것처럼 빨리 돌아가지 않을 수도 있고, 어떤 것은 더 이상 돌리고 싶지 않을 수도 있다. 그러면 남자가 만나는 여자들을 곡예사가 돌리는 접시라고 가정해보자.

    접시 돌리기는 내가 아직 미혼인 남자들에게 가장 강력하게 권장하는 연애 전략이다. 그 이유는 남자들이 반쪽 신화의 환상에서 벗어날 수 있는 가장 효과적인 방법일 뿐아니라 선택할 수 있는 여자가 많을수록 저절로 자신감이 생기고 연애 시장에서 가치가 올라가기 때문이다.

"여러 여자를 동시에 만나는 것은 여자들을 모독하는 짓입니다. 문어발 식으로 이 여자 저 여자에게 다리를 걸쳐 놓으라고? 도덕적으로 문제가 있는 것이 아닌가요?"

아직 독신인 남자가 여러 여자를 만나는 것에 대해 죄의식을 느낀다면 남자의 자유를 구속하는 우리 사회의 오래된 통념에 길들여졌기 때문이다. 예를 들어, 구약의 십계명 중에 간음하지 말라는 조항이 있다. 일부다처제가 당연시되었던 시대에는 이 계율을 지키기가 그다지 어렵지 않았을 것이다. 당시에는 실제로 남자가 여자들을 여럿 거느리고 사는 것을 부의 상징으로 여겼다. 그런데 어쩌다가 일부다처가 사회적 금기로 여겨지게 되었을까? 남자라면 누구나 부러워하던 일부다처는 문명 사회에서 여성의 지위가 향상되면서 용서할 수 없는 죄악이 되었다. 하지만 사랑이 아닌 의무를 강요하는 결혼 제도는 언제라도 표면적이고 위선적인 형식으로 퇴보할 수 있다. 오늘날에는 사랑이 없는 결혼을 유지하기보다는 이혼이 자연스러운 선택이 되고 독신이나 동거가 편리한 시대가 되었다.

아직 정해진 짝이 없는 남자들에게 접시 돌리기는 반쪽

신화에서 벗어나는 가장 효과적인 전략이다. 하지만 하루 아침에 되는 일은 아니며 또한 의지만으로는 되지 않는다. 우리 인격의 일부가 되어버린 심리적 굴레에서 벗어나기까지는 시간이 필요하다. 우리의 인격은 궁극적으로 우리 스스로 만들어가는 것이다. 물론 외부 환경의 영향을 받는다. 하지만, 최종적으로 어떤 가치관과 신념을 인격의 일부로 받아들이기로 결정하는 사람은 바로 우리 자신이다. 따라서 스스로 마음먹기에 따라 바람직하지 못하거나 비효율적이라고 생각하는 측면을 깨끗이 지워버리거나 변화시킬 수 있다. 무엇보다 현실과 직접 부딪쳐가며 새롭게 배운 것을 하나씩 행동으로 옮기면서 그 효과를 확인한다면 그 과정에서 점차 자신감이 생길 것이다.

픽업아티스트들이 남자들에게 의연하고 여유로운 태도를 취하는 방법을 알려주는 이유는 여자를 만날 기회가 별로 없다는 사실을 감추도록 하는 것이다. 하지만 연애 기법은 자신감이 바탕이 될 때 비로소 빛을 발할 수 있다. 실제로 여러 여자를 만나면서 선택권을 갖고 있는 남자들은 일부러 의도하지 않아도 자신감이 드러나 보이는데. 이것이 접시 돌리기의 궁극적인 목적이라고 할 수 있다.

사실 주어진 상황에서 선택권을 갖고 있다는 것은 단지

여자를 만나는 문제뿐 아니라 인생의 여러 부분에서 유리한 위치를 점할 수 있는 조건이다. 선택권이 있다고 생각하면 한 여자가 떠나더라도 크게 아쉬울 것이 없다는 마음의 여유가 생긴다. 여자에게 매달리지 않고 언제라도 떠나보낼 수 있다는 자세로 임할 때 행동에서 자신감이 나타나게 되고 힘의 균형을 잡을 수 있다. 여자들은 자신에게 매달리는 남자가 아니라 무심한 듯 태연하게 행동하는 남자에게 매력을 느낀다.

그렇다고 해서 닥치는 대로 아무 여자나 만나라는 것은 아니다. 접시 돌리기를 하다보면 시간이 가면서 점차 여자를 차별화해서 선택하는 능력이 길러질 것이다. 어떤 접시를 돌릴 수 있다고 해서 반드시 돌려야만 하는 것도 아니다. 어떤 접시는 더 이상 돌리고 싶지 않을 수도 있다. 무엇보다 어떤 접시가 떨어져 나가더라도 흔들리지 말아야 한다. 낚싯대 하나로 물고기를 잡는 것이 아니라 너무 느슨하지도 너무 촘촘하지 않은 적절한 그물을 펼치는 전략을 구사하면 작은 물고기들은 빠져나가고 자연적으로 정리가 된다.

접시 돌리기는 한 여자에게 정착하기 전까지 최대한 오

랫동안 유지하는 것이 바람직하다. 접시 돌리기를 하기 위해서는 균형을 잘 잡아야 한다. 어느 한 접시에 너무 집중해서도 안 되지만 잘 돌아가고 있는 접시를 방치하면 떨어져 나갈 수 있다. 요점은 여자들의 경쟁심을 공략하고 유지하는 것이다. 일단 남자가 한 여자에게 정착하는 순간 힘의 균형은 여자 쪽으로 기울어지고 더 이상 경쟁할 필요가 없어진 여자는 경쟁자가 있는 다른 남자에게 눈을 돌리기 때문이다.

접시 돌리기의 세 가지 이점을 요약해보면,

첫째 반쪽 신화에서 벗어나 상대방과의 관계를 객관적으로 볼 수 있는 혜안을 갖게 된다.

둘째, 여자들이 서로 차지하려고 경쟁을 벌이는 남자는 연애 시장에서 가치가 올라간다.

셋째, 경험을 통해 어떤 여자가 자신과 잘 맞는지 알게 된다. 이런저런 여자를 만나보면 더 나은 짝을 고를 수 있는 능력이 생긴다.

경험은 최고의 스승이다. 전 세계를 무대로 오대양을 항해해 본 사람과 강 건너 너머로 가본 적이 없는 사람 중에서 누가 더 현명하고 통찰력이 있겠는가?

거절당하는 것이
후회하는 것보다 낫다

도전하지 못한 것을 후회하기보다는 도전을 해보고 후회하는 것이 낫다.

접시 돌리기를 하려면 우선 여자에게서 거절당하는 것에 대한 두려움을 극복해야 한다. 매노스피어 사이트에 올라온 글들을 보면 90퍼센트 이상이 어떻게 하면 여자에게서 거절을 당하지 않고 구애에 성공할 수 있는지를 묻는 질문이다. 실제로 남자들이 거절을 당하고 자존심에 상처를 입는 것을 피하기 위해 다음과 같은 방법들을 안전한 대체수단으로 사용한다.

이성 친구로 지낸다

여자의 친구 역할을 하면서 연인으로 발전할 수 있는 기회를 엿본다. '완벽한 남자친구'가 되기 위해 시간과 노력을 투자한다. 이것은 사실 거절을 피하기 위한 완충장치이지만 그러다가 여자에게 의무감이 생기면서 일방적으로 여자에게 봉사하는 결과가 된다.

이메일과 문자 보내기

전화로 길게 수다를 떠는 것도 포함된다. 여자와의 디지털 대화를 선호하는 숨은 의도는 상대방의 의중을 떠보기 위한 것이다. 직접 만나서 거절당하는 것을 피하면서 확실하게 승낙을 받을 수 있을 때를 기다리는 것이다.

여자를 객관화한다

여자를 섹스의 대상으로 객관화하고 비하한다. 그러면 여자에게 거부를 당했을 때 훨씬 덜 상처를 입을 수 있기 때문이다. 부정적인 감정을 피하기 위한 심리기제다.

여자를 이상화한다

사귀는 대상을 특별한 유형의 여자들로 제한한다. 그러다가 여자에게 거절을 당하면 알고 보니 자신의 이상형과는 거리가 먼 여자라고 합리화한다. 여자를 성적 대상으로 객관화시켜서 생각하는 것과 유사한 방어적 심리기제다.

확실히 넘어올 것 같은 여자에게 접근한다

여자를 이상화하는 심리와는 반대로 쉬운 여자에게 도전하는 전략이다. 거절당할 가능성이 있으면 아예 시도를 하지 않는다. 예를 들면 실제로 나이 든 여자들은 연하의 남자가 구애를 하면 쉽게 승낙을 하는 경향이 있다.

부류를 나눈다

도전할 용기가 나지 않는 것을 부류가 다르다는 이유로 포기한다. "그 여자는 보통 사람들과는 노는 물이 달라. 눈이 높아서 나 같은 남자는 쳐다보지도 않을 거야. 수준을 맞추려면 이런저런 조건을 갖추어야 하는데 나는 그럴 능력도 되지 않고 억지로 그러고 싶지도 않아."

포르노로 대신한다

여자를 만나서 마음에 없는 대화를 하거나 형식적인 데이트를 하지 않아도 성적 욕구를 해결할 수 있다. 편리하고 간단하고 즉각적이다.

남자들이 이러한 완충장치들을 사용하는 목적은 여자에게서 거절당하는 고통을 회피하기 위한 것이다.

"여자에게 거절당하는 것보다 굴욕적인 일도 없다. 그럴 때마다 자신감이 곤두박질 친다. 완충장치를 써서 마음에 상처 받는 일을 줄이는 것이 뭐가 잘못인가?"

이렇게 생각하는 남자들에게 내가 해주고 싶은 말은 거절당하는 것이 후회하는 것보다는 낫다는 것이다. 처음에는 여자에게 거절당하는 것을 피하려고 사용하는 완충장치들이 점차 다른 문제에도 영향을 미치기 시작하기 때문이다. 인생을 살다보면 여자한테서만 거절을 당하는 것이 아니라 다른 여러 상황에서도 거절의 가능성을 받아들여야 하는 일들이 있다. 문제는 삶에서 어느 한 부분에서 완충장치를 만들기 시작하면 도전을 피해 안전한 곳에 머물러 있고자 하는 마음 상태가 자리를 잡으면서 전반적으로 주눅이 들게 된다는 것이다. 완충 장치들을 사용하는 목적 자체는 잊혀지고 회피하는 습관이 성격으로 굳어진다.

진정한 남자가 되기 위해서는 가슴 아픈 거절을 무릅쓰고 도전하는 힘을 길러야 한다. 경험이야말로 가혹하지만 최고의 스승이다. 면전에서 거절을 당하면 얼굴이 화끈거리고 세상이 무너지는 느낌이 들지만 그러한 고통을 참고 이겨낸다면 그 과정에서 점차 강하고 성숙한 남자가 될 것이다.

<<<<<<<<

남녀관계에서 오르지 못할 나무는 없다. 여자의 하이퍼가미 본능이 원하는 알파남의 조건은 사회적인 지위나 경제적 능력보다 호기로운 남성적 매력이 먼저이기 때문이다. 다만, 열 번 찍어서 안 넘어가는 나무가 없다는 식의 무지막지한 생각으로 도전하다가는 스토커로 몰려서 망신이나 당하기 십상이다. 무엇보다 반쪽 신화에 길들여진 남자들이 데이트폭력을 저지르고 인생을 망치는 것은 사회적 문제가 되고 있다.

10

· · · · · · · · · ·

접시 돌리기는
바람둥이 전략이 아니다

내 블로그에 한 독자가 이런 글을 올렸다.

"저는 이제 막 접시 돌리기를 시작했는데 지금까지 살면서 가장 잘한 일인 것 같습니다. 내 쪽에서 여자를 선택할 수 있다고 생각하니까 나도 모르게 자신감이 생기고 그래서 그런지 더 많은 여자들이 다가옵니다. 최근까지 이렇게 접시 돌리기를 성공적으로 하고 있었습니다. 그런데 얼마 전 한 여자가 제가 다른 여자도 만난다는 것을 알고 떠나려고 합니다. 접시 하나를 떨어트리는 위기를 모면하는 방법이 없을까요? 아니면 다른 접시들에 비해 그다지 가능성이 높지 않은 접시라도 계속해서 돌릴 필요가 있을까요?"

남녀관계에서는 자신감과 여유로운 마음가짐이 중요하므로 여기서 위기라는 말은 사용하지 않기로 하자. 대부분의 남자들이 접시 돌리기를 하다가 주춤거리는 시점이 있다. 접시를 돌리는 기술이 최고조에 달했을 때 다시 반쪽 신화를 믿는 심리상태로 되돌아가는 것이다. 가장 대표적인 예로, 마음에 쏙 드는 여자를 만나면 곧바로 접시 돌리기를 중지해 버린다. 드디어 만난 반쪽을 잃을까봐 전전긍긍하면서 다른 여자들을 만나는 것이 두려워진다. 아니면 눈에 콩깍지가 씌워서 다른 여자들은 눈에 들어오지도 않는다. 그렇게 되면 여자는 남자에게 자신이 유일한 선택이란 걸 알게 되고 남자는 불리한 위치에 서게 된다.

또는 접시를 돌리다보면 어느 시점에서 한 여자가 자기만 만날 것을 요구할지 모른다. 더 이상 다른 여자들과 경쟁을 해야 하는 긴장감을 참을 수 없거나 아니면 자존심이 상하기 때문일 수도 있다. 여자는 자기 나름의 규칙이 있으며 계속 이런 식으로 지낼 수 없다고 강수를 둘 것이다.

"지금 우리 뭐하는 거죠? 나는 이런 식으로 계속할 수 없어요. 진지한 관계를 원해요."

마침내 접시 돌리기 신공이 시험대에 오른 것이다. 접시 하나가 떨어져 나가도록 내버려 둘 것인지, 아니면 힘이 들어도 다른 접시들과 함께 계속 돌릴 것인지 결정해야 한다. 이럴 때는 잠시 헤어졌다가 몇 주 후에 다시 만나보고 결정하는 것이 바람직하다. 만일 여자가 그 상황을 받아들이기로 한다면 다시 접시를 올리고 돌릴 수 있겠지만 떠난다고 하면 더 이상 미련을 갖지 말자. 떠나는 여자에게는 더 이상 시간과 노력을 투자할 가치가 없다. 게다가 어느 한 여자를 잃을까봐 걱정하게 되면 더 이상 접시 돌리기를 할 수 없게 된다.

일마 진 매노스피어 사이트에서 푸크라는 익명의 독자가 올린 예리한 논평을 보았다.

"여자는 자신에게 헌신적인 루저와 만나기보다는 차라리 정말 갖고 싶은 남자를 다른 여자들과 공유하기를 원합니다."

이 말은 실제로 여자들이 한 남자를 공유하는 것을 개의치 않는다는 뜻이 아니라, 기꺼이 한 남자를 두고 경쟁을 벌이겠다는 것을 말한다. 미국 록펠러 대학의 신경생물학 및 행동심리학 연구자인 도널드 파프 교수는 암컷 생쥐들을 두 그룹으로 나누어서 한 그룹에게는 혼자 있던 수컷 생쥐를, 다른 한 그룹에게는 발정기에 있는 다른 암컷 생쥐와 함께 있던 수컷 생쥐를 들여보냈다. 그 결과 암컷들은 신기하게도 다른 암컷과 함께 있던 수컷에게 더 관심을 보였다. 파프 교수는 이 연구에서 다음과 같은 결론을 내렸다.

"수컷에게 다른 암컷의 냄새가 섞여 있다는 것은 이미 다른 암컷이 접근했다는 일종의 정보가 된다. 이로써 암컷들은 다른 암컷들이 눈독을 들일 만큼 그 수컷이 '검증된' 짝짓기 상대라는 사실을 간파하는 것이다."

접시 돌리기의 목표는 한 여자에게 정착하지 않고 여러 여자들이 서로 차지하고 싶어 하는 남자가 되는 것이다. 하지만 어떤 여자가 당신이 다른 여자를 만날 수 있는 가능성조차 용납하지 않는다면 그 여자는 돌릴 만한 접시가 아니다. 편안한 마음으로 접시를 돌릴 수 있을 때 더 많은 접시들을 돌릴 수 있고 여자에게 끌려 다니지 않을 수 있다. 여자들은 흔들림 없이 당당한 남자가 풍기는 매력에 끌려서 어쩔 수 없이 경쟁을 받아들일 것이다. 연애 시장에서의 가치가 충분히 높은 남자라면 여자들은 그 남자가 자기 외에 다른 여자에게 관심을 갖고 있다는 것을 알아도 그러한 상황을 받아들인다. 다른 여자들과 경쟁해야 하는 긴장을 견디지 못하는 여자는 떠나거나 다른 남자에게로 관심을 옮길 것이다. 어떤 선택을 할지는 여자에게 달려 있다.

"한가하게 이 여자 저 여자 만나고 다닐 시간이 어디 있나요. 한 여자도 감당하기 힘들어요."

"나는 접시 돌리기는 할 수 없어요. '바람둥이'가 되기는 싫어요. 여자들에게 그렇게 할 수 없어요. 어떻게 그럴 수가 있죠?"

나는 '바람둥이'의 정의가 오로지 한 여자에게 충실한 것처럼 거짓말을 하는 남자라고 생각한다. 이런 남자는 여러 여자들을 동시에 만나고 있다는 것을 들키지 않기 위해 잠시도 긴장을 끈을 늦출 수 없다. 몰래 바람을 피우는 행위는 당연히 여자들의 긍지와 자존심을 모욕하는 짓이다. 접시를 돌리라는 것은 결코 이런 바람둥이가 되라는 것이 아니다. 여자들에게 거짓말을 하라는 것이 아니라 어떤 여자에게도 확실한 약속을 하지 말라는 것이다.

접시 돌리기에도 규칙이 있어야한다. 하릴없이 여자들을 습관적으로 만나지 말자. 꼭 필요한 경우가 아니면 갑자기 데이트를 신청하는 전화는 하지 말자. 주말은 당신에게 진지한 관심을 보이는 여자를 위해 남겨두고 다른 여자들은 화요일이나 수요일에 만나면 된다. 머리를 복잡하게 굴려야 할 것 같지만 실제로 해보면 어느 접시를 어떻게 돌려야 할지 자연스럽게 알게 될 것이다.

접시를 돌리다보면 몇 개의 접시는 떨어져 나가고 새로운 접시로 바뀌기도 한다. 오랫동안 여자들에게 인기가 없었던 남자는 불안한 마음에 한 여자라도 놓치면 안 될 것처럼 느낄 수 있다. 게다가 충분히 마음에 드는 여자를 놓친다고 생각하면 무척 아쉬울 것이다. '내가 다른 여자를 만나는 것을 알면 이 여자는 나를 떠날 것 같다.' 라는 두려움을 느낄지 모른다. 하지만 떨어져 나가는 접시는 미련을 갖지 말고 기꺼이 떠나보내자. 떠나는 여자에게는 절대 매달리지 않는 것이 알파남의 원칙이다.

처음부터 천생연분을 만나겠다는 생각은 환상에 불과하다. 물론 어떤 여자는 좀 더 마음에 들 것이다. 하지만 결코 당신에게 완벽한 여자가 따로 있는 것은 아니다. 남자가 접시 돌리기를 통해 얻을 수 있는 가장 중요한 소득은 남자로서의 자신감이다. 여러 여자들과 만나면서 경험이 쌓이다보면 자연스럽게 자신감이 길러진다. 지금 당장 링에 올라가 이종격투기 프로 선수와 맞붙는 것은 자살행위다. 몇 년에 걸쳐 아마추어 선수들과 스파링을 하고 몇몇 시합에서 이기고 나면 자신감이 붙는 법이다.

접시 돌리기의 또 다른 목적은 여자가 당신의 프레임으로 들어오게 만드는 법을 배우는 것이다. 이것은 한 여자에게 정착하기 전에 배워야 한다. 이 세상에는 젊은 시절의 꿈과 능력을 마음껏 펼쳐보지도 못하고 평생 여자에게 쥐여서 사는 공처가들로 가득 차 있다. 진정한 힘은 다른 사람들을 통제하고 기만하는 것이 아니라 자신의 인생을 관리하고 그 주인이 될 때 생겨나는 것이다.

뭔가에 집착하면 자유에 제한을 받기 마련이다. 문 하나를 열고 들어가면 다른 문들은 닫혀버린다. 문 하나가 닫히면 다른 문들이 열린다. 부질없는 감상이나 주변의 강요에 못이겨 결혼을 서두르지 않겠다고 스스로 다짐하자. 남자를 속박하기 위해 만들어진 속설들은 무시하고 주체적이고 합리적으로 인생 계획을 세워야 한다. 여자의 인격적인 결함을 무시하거나 간과하고 결혼을 했다가 인생 전체가 망가지지 않도록 확신이 설 때까지 기다려야 한다. 다양한 성격과 조건을 갖춘 여자들을 만나보면서 경험을 쌓아보자. 그러한 경험을 바탕으로 나중에 결혼을 했을 때 보다 안정적이고 행복한 관계를 유지할 수 있다.

인생을 살다보면 직장을 그만두거나 이혼하거나 학교를 옮기는 등 이런저런 중요한 선택을 하게 된다. 하지만 정말 자신이 원하는 삶을 살고 있는 남자를 몇 명이나 만나보았는가? 주변 사람들의 기대나 요구가 아닌 독자적인 결정으로 인생의 진로를 선택하는 남자를 몇 명이나 보았는가? 많은 남자들이 원하지 않는 직장에 다니면서 스트레스에 몸과 마음이 지쳐가도 가족을 부양하기 위해 어쩔 수 없이 그렇게 살고 있는 것이 현실이다. 만일 남자가 그러한 삶을 스스로 선택했고 가족을 위해 희생하는 보람을 느낀다면 적어도 가장으로서 인정과 존중을 받을 수 있어야 한다.

어떤 남자는 미래의 꿈을 이루기 위해 진로를 선택하는 게 아니라 단지 경제적인 이유로 전공을 결정하거나 사귀던 여자가 선택한 대학을 무작정 따라간다. 또 어떤 남자는 이성 친구로 지내자는 여자의 제안을 받고 언젠가 연인이 될 수 있을지 모른다는 희망으로 몇 시간이고 전화통을 붙들고 여자의 수다를 들어주며 시간을 허비한다. 이런 관계를 유지하는 것이 자신을 위한 것이라고 합리화하기 위해서는 성격과 정체성까지 바꿔야 할 것이다.

많은 남자들이 여자의 사랑을 얻기 위해서는 여자가 원하는 남자가 되어야 한다고 생각한다. 사실 사사건건 여자에게 지지 않으려고 신경전을 벌이는 남자는 한심하고 유치해 보인다. 여자와의 사소한 말다툼에서 져주는 것은 문제가 되지 않는다. 하지만 남자가 여자의 사랑을 얻기 위해 자신의 꿈을 포기하는 것은 인생을 포기하는 것이나 다름없다.

11

....

실패하는
연애전략

친구 역할하기

'우리 친구로 지내요.' 라는 제안은 아마도 여자들이 남
자를 거절할 때 사용하는 가장 편리한 방법일 것이다. 여자
는 남자를 매몰차게 거절하기보다 '우정'이라는 가짜 올리
브 가지를 머리에 씌워 주었으니 그 날 밤 두 다리를 뻗고
편안하게 잘 수 있다. 게다가 거절을 하고서도 남자의 관심
을 계속 묶어놓을 수 있다. 만일 친구로 지내자는 제안을
남자가 받아들이지 않으면 두 사람의 관계가 끝나는 책임
이 남자한테 돌아간다. 결국 관계를 유지하자는 제안을 거
절한 것은 남자이므로 여자로서는 미안한 감정을 느끼지

않아도 된다.

그런데 많은 남자들이 여자가 친구로 지내자는 말을 완전한 거절이 아니라고 생각한다. 그래서 '대리 남자친구'이자 '이성 친구'의 역할을 하면서 아무런 대가도 바라지 않고 여자의 마음을 끌기 위해 최선을 다한다. 언젠가는 '진짜' 연인으로 발전할 수 있을 거라는 희망을 품고 '우정'을 쌓는 것이 먼저라고 생각한다. 그러면서 자신은 (뭇남자들과 달리) 섹스에 집착하는 남자가 아니며 여자들은 말이 통하는 다정한 남자에게 매력을 느낀다고 믿는다. 여자로서는 헌신적인 이성친구가 있어서 마음이 든든하고 필요할 때 언제나 도움을 받을 수 있으니 이보다 좋을 수 없다. 그러다가 어느 날 남자가 이제는 여자가 자신을 받아주지 않을까 생각하고 연인 관계로 돌아가자고 제안한다. 하지만 여자는 다시 거절한다. 남자가 일단 친구 역할을 받아들였으므로 여자 입장에서는 거절하기도 편하다.

사실 이성 친구로 지내다가 연인으로 발전하는 것은 쉽지 않다. 마음을 설레게 하는 성적 긴장감이 없기 때문이다. 침대에 놓인 봉제인형처럼 위안을 주던 남자가 어느 날 갑자기 섹스를 요구하면, 여자는 그동안 그가 베푼 모든 친절이 다 계략이었다고 생각하고 펄쩍 뛸 것이다.

"맙소사, 그 동안 나와 만난 것이 섹스를 하기 위해서란 말이야?"

이런 반응이 돌아오는 것은 자업자득이다. 그 이후에도 똑같은 일이 주기적으로 반복될 것이다. 남자가 연인이 되어달라고 요구하면 여자는 다시 '우리 그냥 친구로 지내면 안 될까?'라며 물러설 것이고 남자는 자신의 가치를 충분히 보여주지 못했다고 생각해서 더욱 완벽한 친구가 되려고 애쓸 것이다. 하지만 그러다가 결국 여자에게 진짜 연인이 생기고 친구 역할을 하던 남자는 닭 쫓던 개 신세가 되고 만다. 아니면 여자가 다른 선택이 없어서 하는 수 없이 연인으로 받아들인다고 해도 남자는 정신적으로 영원히 그 여자의 노예로 살게될 것이다.

여자들과 동화되기

동물의 세계를 보면 수컷들은 단지 암컷을 차지할 목적으로 죽기 살기로 목숨을 걸고 싸운다. 인간은 지능이 높은 사회적 동물이므로 좀 더 세련된 방법을 사용한다. 경쟁자들의 자격을 박탈하는 것이다. 예를 들어, 남자들이 같은 남자를 보고 '글쎄, 저 녀석 외모는 번듯해 보이지만 아무

래도 게이 같아.' 라고 남성성을 의심하거나 반대로 여자들 편에 서서 남자들을 공격하는 것은 경쟁자들의 자격을 박탈하기 위해 사용하는 전략이다.

요즘 우리 사회는 여자들과 허물없이 지내는 남자들을 높이 평가하는 경향이 있다. 감정이입을 잘하고 감성적이고 안정적인 생활을 추구하는 남자를 이상적인 배우자감이라고 추켜세운다. 그래서 남자들은 여자를 이해해주고 안정적인 생활을 제공해줄 착실한 남자라는 것을 증명해 보이려고 노력한다. 여자들에 대해 비판하는 말을 들으면 모든 문제는 이기적이고 유아적인 남자 때문이라며 앞장서시 남자들을 싸잡아서 비하한다.

"섹스나 밝히는 남자들은 여성보다 아직 진화가 덜 되었기 때문이다. 몸은 어른이지만 정신 수준은 아이들이나 다름없다."

사실 알고 보면 남자다움으로는 알파남과의 경쟁에서 이길 수 없으므로 여자들 편에 서서 자신을 돋보이게 하려는 속셈이 있는 것이다. 그러면서 성별 대항전에서 여자 쪽에 같이 서서 싸워주는 것을 고마워할 것이라고 생각한다. 하지만 일단 경기가 끝나고 사적인 만남을 갖게 되면 여자들은 이런 남자를 이성친구 정도로 여기고 눈앞에 알파남이

나타나면 언제라도 돌아설 준비가 되어 있다는 것을 알아
야 한다.

착한 남자 되기

"나쁜 남자가 되라는 건가요? 안 그러면 여자들이 매력을 못
느낀다고요? 하지만 양심상 그럴 수는 없습니다. 그런 식으로
여자를 괴롭히는 밀당은 하고 싶지 않아요."

나는 진정한 남성성을 이해하고 '활용'하라는 것이지 정
말 나쁜 남자가 되라는 것이 아니다. 만일 말과 행동이 다
른 여자의 이중적인 태도에 낙담하면서도 '글쎄, 나는 타고
나기를 나쁜 남자가 될 수 있는 그런 성격이 아니야.' 라고
생각한다면 내가 말하고자 하는 핵심을 제대로 이해하지
못하고 있는 것이다.

우리는 종종 '여자들은 나쁜 남자를 좋아한다'는 이야기
를 듣는다. 우선 '나쁜 남자'와 '착한 남자'라는 용어가 어디
에서 비롯되었는지 살펴볼 필요가 있다. 사실은 현실에서
극단적으로 나쁜 남자나 극단적으로 착한 남자는 드물며
대부분은 중간 어디쯤에 있다. 그런데 현대의 대중문화는
남자들을 무감각하고 여자를 학대하는 마초남으로 과장되

게 묘사하거나 현관에 깔아놓은 신발닦기 같이 여자들에게 쩔쩔매는 호구남으로 희화화하기를 좋아한다. 그렇게 단순하게 일반화하는 것이 사람들의 흥미를 끌기 때문이다.

이러한 문화는 여자들로 하여금 남자들을 싸잡아서 '마초남'이라고 비난을 하게 만든다. 그래서 착한 남자들은 절대 다른 남자들처럼 되지 말아야겠다고 생각한다. 아니면 '다른 남자들과 좀 다르게' 행동하는 것이 여자의 마음을 잡을 수 있는 방법이라고 믿는다. 그래서 여자에게 다정한 '친구'가 되어주기 위해 몇 시간씩 전화기를 잡고 쓸데없는 수다를 참고 들어준다. 여자의 환심을 사기 위해 전 재산을 쏟아 붓는다. 여자들 편에 서서 그들이 하는 말에 귀 기울인다. 그러면서 자신은 마초남들이 득실거리는 세상에서 보기 드문 착한 남자이며 지금은 나쁜 남자에게 빠져 있는 여자가 언젠가는 자신에게 돌아설 것이라고 기대한다. 그런 식으로 남자들은 점점 더 여자들이 원하는 대로 길들여진다.

남자들은 어릴 때부터 엄마를 포함해서 주변 여자들에게서 착한 남자가 되는 훈련을 받는다. 여자들은 엄마가 되면 아들에게 자신이 남자들에게 바라는 것을 가르친다. 그리고 딸에게는 '공주님'으로서 남자들에게 봉사를 받는 것을 당연하게 알도록 가르친다. 거기에 아빠까지 가세한다.

"여자친구를 일찍 집에 들여보내거라."

"집까지 바래다주거나 아니면 택시를 태워 보내라."

"문을 열어주고 무거운 짐은 대신 들어주어라."

"걸을 때는 남자가 차도 쪽에서 걸어가야 한다."

"데이트 비용은 남자가 내야 한다."

사실 이 세상에는 나쁜 남자보다는 착한 남자가 훨씬 더 많다. 내가 보기에는 대충 85% 정도는 '착한 남자'에 속하고 나머지가 '나쁜 남자' 쪽으로 기운다. 따라서 착한 남자가 되어서 여자들의 관심을 끌어보겠다는 생각은 확률적으로도 승산이 없는 셈이다.

내가 남자들에게 모두 나쁜 남자가 되라고 부추겨서 여자를 함부로 대하게 만드는 것이 아니냐는 우려의 목소리가 있을 수 있다. 장담하지만 그런 걱정은 접어두어도 좋다. 착한 남자가 나쁜 남자가 되는 것은 생각처럼 그리 쉽다. 소위 '나쁜 남자'라고 하는 알파남들은 대부분 단호하고 의연하며 여자에게 매달리지 않는다(때로는 아무 생각 없이 순진하게 때로는 알면서도 냉담하게). 여자를 학대하거나 조종하려는 것이 아니라 자기 자신을 다른 누구보다 귀하게 생각하기 때문이다. 선천적으로 타고났거나 경험을 통해 여자들의 호감을 사는 방법을 습득했거나 간에, 이런 남자는 지루하고 고분고분 말 잘 듣는 소들 사이에서 눈에 띄는 자주빛 황소가 될 수 있다.

이 세상은 순진하고 착한 남자들로 가득 차 있다. 그들은 어떻게 해서든 여자에게 잘 보이기 위해 애쓰지만 결국 여자들이 잠자리를 같이 하는 남자는 여자에게 무심한 나쁜 남자다.

장거리 연애

내가 보기에는 남자가 여자의 이성 친구 역할을 하는 것보다 더 한심한 관계가 장거리 연애다. 남녀가 멀리 떨어져서 연애를 한다는 것은 있을 수 없는 일이다. 장거리 연애는 내 기준으로 볼 때 정상적인 연인 관계에 필요한 기본적인 조건을 한 가지도 갖추고 있지 않다. 기껏해야 전화 통화를 하거나 문자 메시지를 주고받는 것은 연애라고도 할 수 없다.

남자들이 몇 년씩이나 장거리 연애를 계속하는 이유는 '확실한 관계'를 유지하는 것이 낫다는 생각 때문이다. 한 여자에게 정착하는 것을 목표로 한다면 그럴 수밖에 없을 것이다. 하지만 장거리 연애는 오히려 이별의 쓴 맛을 볼 가능성이 더 크다. 어느 한 쪽이 바람 피우고 있다는 의심이라도 생기면 완전히 갈라서는 것은 시간 문제다. 눈에서 멀어지면 마음에서 멀어지는 법이다. 게다가 정작 만나고 싶을 때 만날 수도 없으면서 상대방의 애정이 식거나 다른 이성에게 한눈을 팔까봐 조바심을 내야 한다. 사소한 오해가 생겨도 얼굴을 맞대고 대화할 수 없으니 큰 싸움으로 번지기 쉽고, 화해를 하려 해도 더 많은 시간이 소요된다. 상대방이 왜 토라졌는지 정확히 이유를 알 수도 없는 문제를 해결하기 위해 전화, 문자, 메일 등을 총동원해서 온갖 정성을 쏟아야 한다.

이렇게 먼 거리에서 힘들게 사랑을 하는 소울메이트에게는 단 한 번의 실수도 용납되지 않는다. 나는 장거리 연애를 한다고 자랑삼아 이야기하는 남자들을 보면 절망이라는 종점을 향해 가고 있는 것이 뻔히 보인다. 장거리 연애는 사실 이성 친구 역할보다 더 위험하다. 그러다가 다른 여자를 사랑하게 되면 끈기 있게 불굴의 의지로 버티지 못하고 변심한 것에 대해 책임을 져야 한다.

당신이 하고 있는 장거리 연애는 특별하다고 생각하는가? 장거리 연애를 계속하는 남자들은 '나는 일반적인 남자들과는 다르다', '우리의 관계를 믿는다', '사랑은 어떤 장애물도 극복한다' 는 낭만적인 감상에 빠져 있다. 하지만 내 눈에 장거리 연애를 하는 남자는 다른 여자를 만날 자신이 없어서 한 여자에게 목을 매는 것으로 보인다.

멀리 떨어져서 지내는 여자를 자신의 반쪽으로 생각하고 정절을 지키는 것은 인생을 낭비하는 것이나 다름없다. 지금은 이런 이야기에 거부감을 느낄지 모르지만 나중에 장거리 연애에 실패하고 여자와 헤어지고 나면 내가 하는 말이 이해가 될할 것이다.

여자들이 자신을 위해 모든 것을 희생할 수 있는 남자를 선택하리라고 생각한다면 오산이다. 여자들은 그런 남자를 백화점 세일 물건처럼 느낀다. 여자들은 딱 부러지게 아니라고 거절할 줄 아는 줏대 있는 남자에게 끌린다. 자기애가 강한 남자가 자신과 가족을 안전하게 지켜줄 것이라는 기대감을 주기 때문이다.

12

··········

여자들에게서
배워라

여자들은 남자와 쉽게 잠자리를 하는 다른 여자를 보면 문란하다고 수근대지만 원하는 남자를 차지하기 위한 최고의 무기는 섹스라는 것을 알고 있다. 하지만 싸구려처럼 보이지 않고 자존심을 세우기 위해서 남자를 만나면 우선 밀당 테스트를 한다. 여자가 관심이 있는 남자에게 밀당 테스트를 할 때는 기본적으로 다음과 같은 조건들을 파악하려는 것이다.

- 남자로서 자긍심과 자신감을 갖고 있는가?
- 나는 이 남자에게 '특별한' 여자인가? 아니면 여러 여자들 중 한 명에 불과한가?

- 미래에 사회적 지위를 확보하고 가족을 부양할 수 있는 능력이 있는 남자인가?

남자들은 어떤 여자를 만나는 동안에는 그녀가 오직 자신에게 충실하다고 믿어 의심치 않는다. 그렇게 믿으면 마음이 편하지만 그러다가 큰 코 다치는 수가 있다. 알고 보면 여자들은 접시 돌리기에 타고난 재주를 갖고 있다. 은근히 남자들을 긴장하게 만들고 경쟁심을 부추기는 법을 본능적으로 알고 있다. 그래서 나는 남자들에게 여자들의 접시 돌리기를 배우라고 제안한다.

첫째, 여자들은 여기저기서 달려드는 남자들을 구슬려가며 관리를 한다. 남자들이 제풀에 흥미를 잃고 나가떨어지지 않도록 너무 멀지도 너무 가깝지도 않게 적당한 거리를 유지한다. 그래서 절대 확답을 주지 않고 여러 당나귀들 앞에 당근을 매달아 놓는다.

둘째, 여자들은 몸짓이나 표정을 사용해서 넌지시 떠보는 식으로 은밀하게 의사를 전달한다. 당신도 그런 식으로 다른 여자들을 만나고 있다는 것을 드러내야 한다. 하지만 드러내고 다른 접시들을 돌리고 있다고 말하면 안 된다. 여자들이 스스로 눈치를 채도록 하는 것이 가장 효과적이다.

셋째, 필요할 때 언제라도 만날 수 있는 남자가 아니라 희소가치가 있는 남자라는 것을 보여주어야 한다. '이 남자는 나 말고도 얼마든지 다른 여자들을 만날 수 있겠구나' 하고 느끼게끔 행동해야 한다. 그러다보면 하나둘 접시가 늘어날 것이다. 원하면 언제든지 다른 여자를 만날 수 있다는 자신감을 보여주어야 여자들이 경쟁적으로 탐내는 상품이 될 수 있다.

물고기를 낚으려면 반짝거리는 미끼가 필요하다. 하지만 외모가 준수하다고 해서 연애전략이 필요하지 않은 것은 아니다. 잡은 물고기를 요리하기 위해서는 전략이 필요하다. 실제로 연애 전략은 날렵한 몸매를 유지하는 것만큼 중요하다. 외모와 능력까지 갖춘다면 더 바랄 것이 없겠지만 인간 관계는 마음대로 되는 일이 아니다. 우리가 배울 수 있는 것이 있다면 연애전략이다. 부족한 점을 보완하면서 경기를 해야 하기 때문이다. 평범한 남자라도 기본적인 연애전략을 갖고 있으면 여자들에게 인기가 높을 수 있다.

접시 돌리기에 익숙해지면 접시들이 스스로 돌아가게 된다. 하지만 계속해서 관심을 주지 않으면 떨어져 나가는 접시들도 생길 것이다. 이럴 때 크게 개의치 않고 받아들일 마음의 준비가 되어 있어야 한다. 선택할 수 있는 상품이 너무 많아지면 질이 떨어진다는 말이 있지만 어느 것이 품질이 좋은지 나쁜지 판단할 수 있게 되는 것도 사실이다.

"요즘은 너무 바빠서 여러 여자를 만날 시간이 없어요. 그래도 여자들에게서 계속 연락이 옵니다. 이제 접시 돌리기는 그만둘 때가 되지 않았을까요?"

행복한 고민이다. 이제 접시들이 저절로 돌아가면서 여자들이 적극적으로 당신의 관심을 받으려고 하는 단계가 되었다면 연애 시장에서 당신의 가치는 확실하게 입증된 셈이다. 어느 시점에서 접시 돌리기를 그만두어야 하느냐고? 아직 서른 살 이전이라면 게임을 계속하자. 초조해할 것 없다. 결혼은 확신이 들 때 해도 늦지 않다. 또한, 연애에만 매달리지 말고 친구도 만나고 정말 하고 싶은 일에 도전하며 젊음을 마음껏 즐기기 바란다. 많은 남자들은 접시 돌리기를 하려면 지속적으로 노력을 해야 하는 것으로 알고 있다, 그렇지 않다. 실제로 모든 접시에 골고루 신경을 쓴다고 해도 결국에는 한두 명으로 줄어들게 된다.

내 생각에는 남자들이 미래를 개척해할 수 있는 능력과

기회를 탐색해보기도 전에 결혼이라는 제도에 얽매이는 것이 가장 큰 문제다. 물론 일찍 결혼을 해서 가정을 꾸리고 아이를 키우는 친구들을 보면 부럽기도 할 것이다. 어쩌다 만나는 여자들의 이중성과 변덕에 배신감을 느끼고 연애에 지쳐가기 시작한다. 그러던 차에 결혼을 원하는 '조신한' 여자가 나타나면 가뭄에 단비를 만난 것처럼 생각하고 성급한 선택을 한다. 그 결과는 단 한 번 주어지는 인생에서 마음껏 꿈을 펼쳐보지도 못하고 생을 마감하는 것이다. 남자에게 여자는 인생을 함께 하는 동반자가 될 수 있지만 앞에서 이끌어가는 주인이 되게 해서는 안 된다.

접시 돌리기의 목표는 결혼이 아니라 경험을 통해 여자들을 이해하고 남녀가 자신을 표현하고 서로에게서 최선을 이끌어내는 법을 배우는 것이다.

3장

남녀의 연애시장 가치

13

....

백마 탄 왕자의
조건

온라인 데이트사이트에 올라온 여자들의 프로필을 보면 모두들 보석으로 가공하기 전의 진귀한 원석이 아닌가 싶다. 그들의 프로필을 읽어 내려가다 보면 마치 사파리 여행을 하면서 희귀하고 이국적인 동물들과 마주치는 듯하다. 모두들 하나같이 자신이 얼마나 이 세상에서 만나기 어려운 특별한 여자인지를 상세히 피력하고 있는데 무척이나 고상하고 고귀해서 보통 남자라면 감히 만나볼 엄두가 나지 않을 정도다.

흥미롭게도 모든 여자들의 프로필에는 한 가지 공통점이 있는데, 대책 없이 뚱뚱한 여자부터 술 두 잔이면 잠자리를 같이 할 수 있는 여자까지 모두들 자신의 시장가치를 터무니없이 과대평가하고 있다는 것이다. 다음은 실제로 한 여자가 자신의 프로필에 원하는 남자의 조건을 서술한 내용이다.

"내가 어떤 남자에게 관심이 있는지를 충분히 생각해보았어요. 키는 175㎝는 넘어야 하고, 근거리에 살고, 인정 많고, 똑똑하고, 관대하고, 특히 당신의 어머니나 누이들이 말하는 것 이상으로 매력적이어야 해요.ㅋㅋ. 몸매가 좋아야 하고, 직업은 사업가라면 더 좋고요. 가정적이고 융통성이 있고, 너무 냉소적이지 않고, 눈치가 빠르며 사교적이고, 아무 이유 없이 전화도 해주고 기념일을 챙겨 쪽지도 보내주고, 선물을 한다면 낭만적이고도 꼭 필요한 것으로 주면 좋겠어요. 점잖으면서 유머감각도 있고, 무엇보다 나를 아주 소중하게 여겨야 해요. 신사답고, 캠핑과 골프를 즐기고, 결혼하면 좋은 아빠와 충실한 남편이 될 것이며, 내가 필요로 하는 공간을 만들어주었으면 해요. 마흔이 넘은 남자는 관심 없어요. 그리고 나보다 돈을 적게 벌면 안돼요. 어릴 때부터 익숙해져 있는 생활방식을 바꾸고 싶지는 않거든요. 나는 언젠가 엄마가 되면 아이들이 원하는 것은 무엇이든 다 해주고 싶어요.(물론 그렇다고 버르장머리 없는 녀석으로 키우지는 않을 거예요.ㅋㅋ) 그리고 내가 키우는 반려동물을 사랑해주는 것은 필수 조건이에요."

어떤 남자가 속세에 내려와 살고 있는 공주님을 거부하겠는가? 나는 문득 장난기가 발동해서 즉석에서 내 프로필을 써서 올려보기로 했다. 공주님들에게 걸맞은 백마탄 왕자님의 프로필을 쓰기 위해 여자들이 즐겨 사용하는 용어들을 사용해서 내가 요구하는 여자의 조건들을 열거했다. 양성평등의 '상식'을 갖고 있는 여자라면 선뜻 응할 것이라고 확신했다.

"어떤 여자가 저에게 맞는지 신중하게 생각해서 다음과 같은 조건을 제시합니다. 키는 168cm 이상이고 180cm를 넘지는 않았으면 해요.(눈을 마주보는 것은 상관없지만 올려다보고 싶지는 않네요). 체지방은 8%를 넘지 않았으면 좋겠어요. 직업을 가지고 있되 지나치게 일에 매달리는 것은 바라지 않아요. 가정적이어야 하구요. 아이는 좋은 엄마 충실한 아내가 될 수 있다는 것이 입증된 후에 서른세 살 정도에 낳았으면 해요. 품위 있는 숙녀로서 말을 해야 할 때와 하지 말아야할 때를 정확히 구분할 줄 알아야 해요. 내숭을 떠는 여자도 싫지만 주책바가지도 싫습니다. 단 눈치가 빠르고 사교적이어야 합니다. 내가 최종적으로 내리는 결정을 존중해 주었으면 해요. 자기애가 너무 강하지 않고 남자를 존경할 줄 알아야 해요. 31살이 넘은 여자는 사양하겠어요. (어쨌든 대부분 여자들의 유효기간은 서른이 넘으면 끝나니까요). 카드빚이 100만원을 넘어가는 것도 곤란해요. 과소비 습관이 있으면 안 됩니다. 내가 어릴 때부터 익숙한 생활방식을 바꾸고 싶지 않고 언젠가는 자식들 대학도 보내야 하니까요. 아이들은 사회에 나가서 어느 정도 성공하고 부모를 공경하도록 가르치겠어요(버르장머리 없는 녀석들로 키우지는 않을 겁니다.)."

이만하면 여자들이 남자에게 원하는 것처럼 당당하게 원하는 여자의 조건을 요구하는 왕자님의 프로필에 반하지 않을 수 있겠는가? 게다가 다소 능글맞지만 재기가 넘치는 유머러스한 남자라고 느낄 것이다. 이제 기다리고만 있으면 산사태가 날 만큼 나를 만나고 싶다는 애정 어린 답변이 쇄도할 터였다. 드디어 첫 번째 답변이 올라왔다.

"당신 프로필을 읽었어요. 그런데 이거 진지하게 쓴 거예요?????"
나는 조금 당황했지만 바로 답변을 보냈다.
"왜 진지하지 않다고 생각하세요? 남자는 여자에게 원하는 것을 구체적으로 쓰면 안 되나요?"

그러자 다른 여자들에게서도 답장이 연달아 올라왔다.

"미안, 너처럼 한심한 녀석은 상대하고 싶지 않아."

"헐.. 아마 농담으로 쓴 프로필인 것 같지만 (이렇게 생각해야 덜 서글플 것 같네요.) 재미도 없고 웃기지도 않아요. 그냥 무시해 버려도 되지만 굳이 이렇게 답을 하는 이유는 당신이 하는 말이 얼마나 불쾌한지를 알려주려는 거예요. 좋은 여자 잘 골라보세요.(한 100년 전으로 돌아가면 어쩌면 운 좋게 당신이 원하는 여자를 찾을지도 모르겠지만, 요즘 세상에서는 아마 눈을 씻고 봐도 찾을 수 없을 걸요.)"

"당신 프로필을 보니, 지금껏 만나본 중에 최고로 한심한 남자 같군요. 한 마디만 할게요. 꿈 깨서!"

음... 분명 내가 만든 프로필에 문제가 있는 것 같았다. 하지만 나는 여자들의 프로필에서 단어 몇 개만 바꾸고 여자를 남자로 바꾼 것이 전부였다. 조금 욕심을 내서 만나고 싶은 공주의 조건을 몇 가지 덧붙였을 뿐이다. 무엇보다 여자들이 모두들 공주처럼 대접받고 싶어 하는데 나도 왕자처럼 대접해 달라는 것이 그렇게 잘못한 것인가?

결론을 말하자면, 여자들이 공공연하게 자신을 부양해 줄 능력을 가진 남자를 찾고 있는 반면, 남자들이 여자에게 원하는 조건을 얘기하면 그 즉시 여성을 비하한다고 욕을 얻어먹거나 잘해야 농담하지 말라는 소리를 듣는 것이 현실이다. 그러면서도 여자들은 남자들에게 자신들이 원하는 조건을 당연하게 요구하는 근거가 무엇인지 따져보려고 하면 신경질적으로 반응한다. 여자들이 하는 것처럼 프로필을 올렸다고 당장 욕을 먹는 것을 보면 남자들은 여자를 공주처럼 모셔야 하지만 정작 여자들이 원하는 백마 탄 왕자는 그에 걸맞은 대접을 받지 못하고 있는 것이 분명하다.

14

....

남녀의
상대적 시장가치

이 글을 쓰고 있는 지금은 고등학교 졸업시즌이다. 이 무렵이 되면 어렵게 대학에 진학해서 졸업을 해도 취업의 좁은 문을 통과해야하고 학자금 대출로 진 빚을 안고 살아가는 요즘 청년들을 생각하면서 부모를 포함한 연장자들은 한두 마디씩 조언을 해주어야 하는 의무감을 느낀다. 그래서 그들은 자신이 살아온 삶을 돌아보며 생각한다.

내가 다시 젊어져서 열여덟 살 나이로 돌아간다면 인생을 새로 시작하는 나에게 앞으로 어떻게 살라고 말해줄 것인가?

매노스피어 사이트는 남자들의 다양한 관심사가 논의되는데 종종 연애 시장에서의 남녀의 가치에 대해 설왕설래

하는 글들을 볼 수 있다. 나는 청년들에게 이러쿵저러쿵 조언을 하기보다 현실을 보여주는 것이 인생의 단계마다 자신의 가치가 어떻게 변화하는지 이해하고 미래를 계획할 수 있도록 하는데 가장 도움이 되는 방법이라고 생각했다. 굳이 이런 그래프까지 만들어서 보여주는 이유는 남자들에게 연애 시장에서의 자신의 가치를 알고 여자에게 어느 정도 투자할 것인지 현명하게 판단할 수 있도록 하려는 것이다.

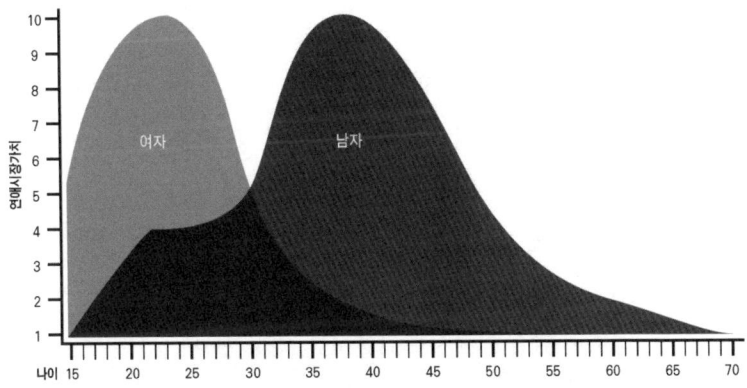

위 그래프에서 가로축은 남녀의 나이를, 세로축은 남녀의 연애 시장 가치를 나타낸다. 일반적으로 외모, 나이에 따른 상대적 선호도, 남자의 경제적 능력, 여자의 출산 능

력, 등등을 고려해서 1에서 10까지의 등급으로 나누었지만 어떤 범주에도 예외가 있는 법이고 여기서도 마찬가지로 일반적인 평균을 보여줄 뿐이다. 남녀의 연애 시장 가치를 열다섯 살에서 시작한 이유는 평균적으로 그 무렵에 성적으로 성숙하기 시작하는 나이이기 때문이다. 그리고 여자나 남자나 스물세 살에서 서른여섯 살까지 인생의 전성기로 평가했다.

먼저 여자의 연령별 시장가치에 대해 생각해보기로 하자. 그래프 상에 나타나 있는 여성의 시장가치는 여자들이 아닌 남자들의 판단을 기준으로 만들어진 것이다. 다시 말해 남자들이 생각하는 여성의 전성기 나이는 20대 초반으로, 이 그래프는 여자의 외모와 출산 능력 등을 고려한 것이며 개인적인 가치관, 지성, 인격 등과는 관계가 없다.

우리에게는 항상 올해가 최고의 해다. 나는 무슨 냉혹한 진실을 끄집어내서 여자들이 나이를 먹는 것에 대해 전전긍긍하며 밤잠을 설치게 만들려는 것이 아니다.

하지만 객관적으로 보자면 남자의 시장가치는 결국 여자들에 의해 결정되며 여자의 시장가치는 남자들에 의해 결정된다. 따라서 여자는 20대 초반에 남자들로부터 가장 뜨거운 관심을 받다가 스물 일곱이 되면 연애 시장에서의 가치가 떨어지기 시작한다. 그 이후에도 여성으로서 매력이 없는 것은 아니지만 20대 초반의 아가씨들과 나란히 놓고 비교해보면 풋풋한 매력이 덜한 것이 사실이다. 따라서 나이가 들수록 짝을 찾기 위한 여자들의 경쟁은 더욱 더 치열해질 수밖에 없다. 파티에 가서 잠시 즐길 수 있는 파트너를 찾던 여자들이 20대 후반이 되면 결혼할 남자를 찾아서 가정을 이루는 쪽으로 전략을 바꾸는 것이다.

위의 그래프를 보면 남자들이 자신의 진정한 가치를 알게 되는 시점에서부터 (대체로 서른 살 정도) 여자들의 가치는 하락하기 시작한다. 이 때까지 아직 짝을 만나지 못한 여자들은 '새로운 인생을 살기' 또는 '나 자신에게 만족하기' 등등 자존심을 잃지 않기 위한 자기암시를 하기 시작한다. 연애 시장에서 경쟁하기 힘들어지고 있다는 걱정을 날려 버리기 위한 일종의 마인드컨트롤을 하는 것이다. 그러면서 어느 정도 호감이 가고 생활 능력도 있는 남자를 만나지 못하면 혼자서도 꿋꿋하게 살아보겠다고 각오를 다진다.

이번에는 남자들의 연령별 시장가치를 살펴보자. 여자들에 비해 남자들은 열다섯 살에서 시장가치가 낮은 점수로 시작되는데 그 이유는 상대적인 평균치를 계산한 것이기 때문이다. 열다섯 살 소녀들은 일반적으로 자신보다 좀 더 나이든 청년에게 관심을 갖는 것이 보통이다. 10대 소녀들에게는 또래의 소년들이 유치하고 하찮게 보일 수 있다. 따라서 소년들에 대한 평가는 아주 낮게 시작될 수밖에 없다. 그러다가 20대 청년이 되면 시장 가치가 안정권에 접어들고 서른 살이 되어서야 서서히 올라가기 시작한다. 남자들의 시장가치가 계속해서 올라가는 이유는 여자들이 원하는 남자의 기준이 되는 사회적 지위, 성숙도, 경제력 등이 나이가 들면서 꾸준히 높아지기 때문이다.

여자들이 전성기를 맞이하는 시점에서 남자들은 그제서야 시장가치가 올라가기 시작한다. 여자들의 시장 가치가 최고점에 오르는 스물세 살 무렵에 남자들은 상승곡선을 그리기 시작해서 서른여섯 살이 되어서야 최고점에 이른다. 남자들은 서른여섯이 되어도 건강한 몸매를 유지할 수 있을 정도로 아직 젊을 뿐 아니라 성적, 사회적, 직업적 모든 면에서 기량이 성숙해진다. 따라서 미래에 안정적인 삶을 제공해줄 남자를 찾는 여자들에게 가장 바람직한 상품이 된다.

무엇보다 남자와 여자의 시장가치가 하향 곡선을 그리

기 시작하는 시점에 주목해볼 필요가 있다. 여자들의 시장 가치는 나이가 들면서 남자들에 비해서 급격하게 하락한다. 그에 비해 남자들의 가치는 사회적 지위, 건강, 용모, 등의 변화에 따라 여자들보다 훨씬 서서히 떨어진다. 남녀의 시장가치가 이렇게 다른 이유는 다시 말하지만, 여자의 가치는 남자들이 평가하고 남자의 가치는 여자들이 평가하는데, 남자들은 본능적으로 여자의 생물학적 요소에 끌리고 여자들은 본능적으로 사회적 지위가 높은 남자에게 끌리기 때문이다. 따라서 남자의 가치는 개인적인 성취도에 좌우되며 자기관리만 잘한다면 상당히 오랫동안 유지될 수 있다. 여자의 가치는 일찌감치 활짝 피었다가 금방 시들지만 남자의 가치는 서서히 올라가서 오랫동안 정상에 머물러 있다.

연애 시장에서 남자의 시장 가치와 여자의 시장 가치가 각각 최고점을 유지하는 15~16년의 기간에 대해 생각해보자. 이 기간 동안 남자나 여자나 인생에서 가장 중대한 결정과 경험을 한다. 학위를 따고, 결혼을 하고, 직업을 갖는 등 많은 사건들이 일어나는 시기다. 따라서 이 기간 동안 그러한 여러 가지 중요한 사건들을 거치면서 개인적인 가치가 올라가거나 내려갈 수 있다.

하지만 일반적으로 남자 나이 서른 살이 되면 연애 시장에서의 가치가 확연하게 올라가는 반면 여자들은 가치가 현저하게 떨어지기 시작하며 경쟁에서 뒤로 밀려난다. 이 시점에서 남녀의 시장가치가 교차한다. 남자들이 이제부터 사회에서 능력을 인정받기 시작하는 나이에 여자는 전성기의 끝자락을 붙잡고 매달려있다. 그런데 남자들은 여전히 자기보다 나이 어린 여자들을 선호한다.

여자들의 경우 나이가 들수록 성적 매력이 감소하는 것은 피할 수 없는 현실이다. '한물갔다' 라는 표현은 여자들이 나이가 어린 경쟁자들에게 연애 시장에서 경쟁의 우위를 잃어버리는 시점을 의미한다. 여자로서는 원하는 남자를 선택할 수 있는 중요한 힘이 점차 사그라지는 것이다. 그래서 여자들에게는 최대한 많은 남자들의 주목을 끄는 것이 더욱 중요해진다. 화장, 옷, 신발, 일상적인 대화 등 여자들이 하는 모든 것은 다 경쟁심이 작용한다. 그 목적은 여자들 사이에서 자존심을 세울 수 있고 안정적인 삶을 제공해주는 남자를 확보하는 것이다.

여자들의 경쟁심은 누가 일부러 자극하지 않아도 언제나

그 자리에 있다. 여자들이 여자의 외모를 따지는 남자들을 비난하는 것은 경쟁심리를 가장 분명히 보여주는 예다. 여자들에게 가장 매력적인 친구가 누구냐고 물어보라. 아마 자신의 경쟁 상대가 되지 않는다고 생각하는 여자(남자들이 눈길도 주지 않는 여자)를 고를 것이다. 반면에 어떤 여자를 헤프다고 비난하는 것은 위협적인 경쟁자의 자격을 박탈하려는 것이다. "섹스를 하려면 남자에게서 약속을 받아야 하는 것이 규칙이야. 규칙대로 행동하지 않는 여자는 남자의 약속을 받을 자격이 없어."

여권신장 운동가들은 여자들의 단결을 외치지만, 연애 시장에서 경쟁을 해야 하는 여자들에게 외모나 성적인 매력을 동원해서 원하는 남자를 유혹할 수 있는 힘을 잃어간다는 것은 그 무엇보다 불안하게 느껴질 수밖에 없다. 여성 단체에서는 이런저런 아줌마 미인대회를 개최해서 여자의 나이는 숫자에 불과하다는 것을 증명해 보이려고 안간힘을 쓴다. 하지만 마흔 살이 넘은 여자들이 페이스북에 올린 고등학교 시절의 사진과 지금의 모습을 비교해보면 자연이 만든 나이의 벽은 뛰어넘을 수 없다는 것을 실감하게 된다.

15

• • • • • • • • • •

서른 살 이전에는
결혼하지 마라

"안녕하세요, 롤로. 당신이 블로그에 올리는 글은 언제나 명쾌하고 논리적이고 통찰력이 뛰어납니다. 저는 5개월 전에 한 여자와 헤어졌는데 그녀는 정말 좋은 사람이었기에 무척 후회가됩니다. 그녀를 진정으로 사랑하지는 않았지만 좀 더 잘해주어야 했어요. 저는 27살입니다. 다음 두 가지 문제에 대해 조언을해주시면 고맙겠습니다.

(1) 올해 대학에 편입을 해서 학위를 하나 더 받을 예정입니다. 어떻게 하면 이 결정을 후회하지 않도록 보람된 시간을 보낼수 있을까요?

(2) 한 여자에게 전념하지 않고 이 여자 저 여자 만나는 것이마음에 걸리고 성적인 관계로 만나면 상처를 주는 것 같고 부

도덕하다는 생각이 듭니다. 이 문제는 어떻게 극복할 수 있을까요? 다른 독자들을 위해 답변을 공개하셔도 됩니다."

- 아카쉬

아카쉬는 미래를 계획하는 청년들에게 아주 중요한 두 가지 질문을 해주었다. 먼저 첫 번째 질문에 대해 답하겠다. 이 문제는 현재의 목표가 무엇인지에 달려 있다. 주어진 시간을 목표 달성에 가장 효율적인 방식으로 보내는 것이 중요하기 때문이다. 물론 당신이 마음을 단단히 먹고 열심히 노력해서 학위를 받을 것이라고 믿는다. 다만 '이것이 정말 내가 원하는 것인가?'라는 질문을 해보기 바란다.

나는 지금까지 많은 남자들이 자신이 정말 원하는 진로에 도전을 해보기도 전에 결혼을 하면 가장으로서 책임을 져야 한다는 생각으로 대학이나 직업을 선택하는 것을 보았다. 또는 어떤 여자와의 관계를 위해 진로를 바꾸기도 한다. 하지만 남자가 자신의 야망을 포기하고 여자가 원하는 대로 따라가는 선택의 결말은 결코 해피엔딩이 되지 못한다. 시간이 흐른 후에 그러한 선택의 결과가 실망스러우면 스스로에게 화가 날 수도 있다.

당신이 다시 대학을 다니기로 결정한 이유를 정말 솔직

하게 성찰해보기 바란다. 인생 전체에 영향을 줄 수 있는 중요한 문제이니만큼 신중하게 결정하고 후회하는 일이 없어야 한다. 남자 나이 20대 중반이면 이제부터 자신이 원하는 방향으로 삶을 이끌어가야 하는 나이다. 내가 개인적으로 당신에게 조언을 한다면 대학을 졸업하고 2년 정도 커리어를 쌓기 전까지는 결혼은 생각하지 말라고 하고 싶다. 그 전까지는 한 여자에게 전념하겠다는 약속은 하지 않는 것이 인생 계획을 위해 유리할 것이다.

남자들은 10대와 20대에 걸쳐 강력하게 독립을 부르짖다가 대부분 30대가 가까워지면 기꺼이 결혼이라는 수갑을 차고 일찌감치 자유를 포기해버린다. 많은 남자들이 가능성을 마음껏 펼쳐볼 기회를 갖기도 전에 결혼을 한다. 한 여자에게 정착해서 결혼이라는 누에고치 속으로 들어가 편안하게 쉬고 싶은 것이다. 하지만 그러기에는 아직 할 일이 많다. 독립적이고 자유롭게 사는 시간이 길수록 더 많은 기회가 찾아온다는 것을 알기 바란다. 젊음은 보다 높은 가치를 지닌 남자가 되기 위한 일들에 쓰여야 한다. 진정으로 원하는 것이 있다면 여자나 결혼 때문에 타협을 하면 안된다. 결혼을 하면 자연적으로 따라오는 책임과 의무로 인해 보다 나은 삶을 위한 모험에 도전할 수 있는 용기를 내기가 어려워지는 것이 현실이기 때문이다.

평생의 동반자를 만나는 것은 인생에서 가장 중요한 일임에는 틀림없지만, 여자는 남자의 인생에 따라오는 선물이 되어야지 남자가 여자를 따라가서는 안 된다. 덧붙여 말하자면 여자들은 자신을 따라오는 남자가 아니라 주관이 뚜렷하고 결단력이 있는 성숙한 남자에게 매력을 느낀다. 여자의 하이퍼가미 본능은 노예를 원하는 것이 아니라 자신의 야망과 열정에 충실한 남자를 원한다.

두 번째 질문에 답하자면, 남자가 매력적인 여자를 보면 성적으로 끌리는 것은 본능이며 그 자체가 잘못은 아니다. 이슬람 국가에서는 남자들이 경제적인 능력이 있으면 정부인 외에 '임시' 부인들을 거느리고 사는 것을 허용하고 있다. 일부 몰몬교 종파도 비슷한 방식으로 일부다처제를 허용하고 있다.

나는 절대 일부일처제를 부정하는 것이 아니다. 아이들은 엄마와 아빠가 함께 돌보는 가정에서 자라는 것이 가장 바람직하다. 성 정체성을 형성하는 데 있어서도 성장과정에서 남자와 여자 양쪽 모두의 역할을 이해하는 것이 중요하다. 남성성과 여성성은 적대적이 아니라 상호 보완적이라는 점에서도 나는 일부일처제를 지지한다.

하지만 한 여자에게 정착하기 전에 폭넓은 경험을 하는 것은 남자로서는 매우 유익한 일이다. 남자들이 자신의 생물학적 본능을 추구하는 것은 최대한의 공급원에서 최선의 배필을 찾기 위한 것이다. 내가 젊은이들에게 서른 살이 되기 전까지는 한 여자에게 정착하지 말라고 하는 것도 이런 이유 때문이다. 남자가 나이를 먹고 경험이 쌓이면 인생의 동반자를 선택하는 안목이 생긴다. 게다가 남자의 가치는 계속해서 올라갈 수 있으므로 원하는 여자를 선택하는 데 있어서 훨씬 유리한 위치에 서게 된다.

만일 당신이 서른다섯 살에 싱글로 남아 있으면서 어느 정도 안정적인 위치를 확보한다면 친구들 사이에서 부러움의 대상이 될 것이다. 왜냐하면 그 나이 또래의 많은 남자들이 아쉬워하는 두 가지를 가지고 있기 때문이다. 자유로운 시간과 스스로 인생을 관리할 수 있는 능력이 바로 그것이다. 이미 결혼한 또래의 남자들은 대부분 책임, 의무, 부담에 짓눌려 있을 것이다. 아니면 누군가는 이혼의 상실감에서 벗어나기 위해 고군분투하고 있을지 모른다. 그들에 비해 당신은 그 어느 누구의 눈치도 볼 것 없이 자유를 누리면서 마음에 드는 여자가 있으면 만날 수 있다. 언젠가 나에게 누군가 돈이 많으면 제일 사고 싶은 게 무엇이냐고 물은 적이 있었다. 나는 주저 없이 대답했다. 시간이라고. 여유를 부리다가 혼기를 놓치고 혼자 늙어갈까 겁이 난다고? 그보다는 서둘러 결혼을 했다가 평생 여자에게 구박을 받으며 사는 것을 더 걱정해야 한다.

남자들은 다른 문제가 없다면 20대 중반 때보다 30대 중반이 되면 경제적으로 안정되고 인격은 더욱 성숙해지면서 연애 시장에서 훨씬 유리한 위치에 서게 된다. 반면에 여자들은 서른이 넘으면 시장 가치가 떨어지기 시작한다. 여자가 나이 서른이 넘어서도 스물일곱 때의 미모를 유지할 가능성은 거의 없다. '학생이 준비가 되면 스승이 나타난다.'는 속담이 있다. 이제 여자들이 서로 당신을 차지하려고 경쟁하게 될 것이다.

남자에게는 결혼을 위한 적령기가 따로 없다는 것이 내 생각이다. 따라서 결혼에 매달리기보다는 인생을 스스로 관리할 수 있는 능력과 자신감을 갖는 것이 우선이다. 나는 젊은이들에게 대학을 졸업하고 확실하게 자리를 잡을 때까지 기다리라고 말하는 것이 아니다. 다만 적어도 자신의 인생 계획을 존중하고 지원해주는 여자를 만날 때까지, 아니면 자기주도적인 삶을 사는 데 걸림돌이 되지 않을 것이라는 확신이 들 때까지는 섣불리 결혼을 하지 않는 것이 현명하다.

여자들로서는 예를 들어, 법대생이나 의대생 남자를 만나서 결혼을 한다면 확실한 미래가 보장된다고 느낄 것이다. 미술이나 음악을 공부하는 남자라면 아무리 재능이 있어도 미래가 불안하다고 여길 것이다. 하지만 한 가지 목표에 몰두하는 열정과 결의를 갖고 있는 남자라면 불확실한 미래에 대한 불안감을 상쇄시킬 수 있고 그 가능성을 알아주는 여자가 나타날 것이다.

배관공이나 수리공이라도 자신이 하는 일에 대한 열정과 꿈을 갖고 있다면 언젠가 사업가가 될 수 있다. 당신이 진정 원하는 삶을 추구하라. 당신이 중요하게 생각하는 우선 순위에 따라 행동하면 때로 이기적인 나쁜 남자처럼 보일 수 있다. 주변에서 사람이 변했다거나 너무 냉정해졌다고 섭섭해할지 모른다. 하지만 분명 언젠가는 꿋꿋하게 자기만의 길을 걸어온 것에 대한 자부심을 느끼는 날이 올 것이다.

16

....

여성의
생체시계

　내 블로그에 S라는 독자가 여자의 전성기에 대한 내 생각이 너무 단순하다고 지적하는 글을 올렸다. 여자는 나이 외에도 다양한 변수에 따라 노화의 속도가 달라질 수 있다는 것이다.

"여자는 관리하기 나름이에요. 여자에게 한물갔다고 하는 표현을 받아들이더라도 당신이 말하는 내용에는 그다지 공감할 수 없네요. 여자 나이 서른 살이라고 못을 박는 것은 제가 보기엔 지나치게 단순한 계산인 것 같군요. 다양한 변수들을 고려해야 한다고 생각해요. 예를 들면, 파티걸이나 선탠에 중독된 여자나 흡연을 하는 여자들은 서른이 되기도 훨씬 전에 용모가 망가질 수도 있겠고, 반면 늦게 성숙하는 여자는 20대

중반이나 후반부터 활짝 피기 시작할 수도 있어요. 동창생들을 보면, 남자들에게 인기 있던 친구들이 지금은 대부분 나이에 비해 늙어 보이는 반면에 세상물정 모르고 공부만 하면서 외모를 전혀 가꾸지 않던 친구들이 몇 년 사이에 훨씬 더 매력적이 되었더군요."

S는 어릴 때부터 알고 지내면서 같이 나이가 들어가는 여자 친구들을 관찰하고 느낀 점을 이야기하고 있다. 남자들은 여자들의 성적인 매력은 나이에 비례해서 감소한다고 생각하지만 사실은 나이와 상관없이 개인에 따라 달라질 수 있다는 것이다. 실제로 나이를 단지 숫자로만 계산하면 전체적인 그림을 보지 못할 수 있다. 노화는 선천적이거나 후천적인 여러 가지 요인에 의해 빨라질 수도 느려질 수도 있다. 또한 노화에는 물리적인 조건 못지않게 심리적인 요인이 작용하는 것은 분명하다.

실제로 여자들은 개인적으로 서른이 넘어도 20대처럼 보일 수 있다. 하지만 여자들이 젊음을 유지하기 위해 보여주는 행동들이야말로 오히려 나이의 벽을 더욱 느끼게 한다. 아이들을 키우는 주부들이 참가하는 미인대회가 열리는 것은 나이의 벽을 무너트려 줄 여자들만의 영웅을 만들어내기 위한 것이 목적이다. 나이를 먹어도 자기관리를 잘하면 싱싱한 젊음을 유지할 수 있고 연애 시장에서도 남자들과 동등하게 경쟁할 수 있다는 것을 온몸으로 증명해보이려는 것이다. 하지만 여자들은 나이 서른이 넘어서 20대 초반의 여자들과 경쟁한다는 것은 현실적으로 불가능하다. 여성의 육체는 성적 매력 뿐 아니라 임신과 출산에 적절한 시기가 있기 때문이다. 따라서 남성과 비교해서 결혼 적령기가 제한적일 수밖에 없다.

남자들도 여자들과 마찬가지로 외모와 신체적인 능력에서 전성기가 있기는 하지만 연애 시장에서의 가치는 나이가 들면서 오히려 높아질 수 있다. 서른 살이라는 나이는 일반적으로 남자들이 자신의 역량을 알게 되는(반드시 알아야 하는) 나이다. 남자는 이제 더 젊은 여자들의 성적인 관심도 끌 수 있다는 것을 알게 되고 나이의 벽에 접근한 여자들을 경계하기 시작한다. 남자들의 이러한 인식은 여자들을 연애 시장에서 더욱 불리한 위치에 서게 한다.

한때 '나이의 벽에 부딪쳤다'는 표현은 여자들이 경쟁자들의 자격을 박탈하기 위해 사용하는 말이었다. 노처녀들은 경쟁 상대가 되지 않는다고 말하는 것보다는 좀 더 예의바르게 들리기 때문이다. 하지만 이 말은 또한 모든 여자들은 나이가 들면서 성적 매력이 쇠퇴한다는 사실을 인정하는 것이다.

대중문화는 여성의 몸에는 생체시계가 있어서 시간이 흐르면서 자연스럽게 모성본능이 생기고 아이를 원하게 된다는 식으로 이야기하는 것을 좋아한다. 생체시계라는 용어는 '생물학적'이라는 것만으로도 매우 권위 있게 들린다. 따라서 남자가 여성의 생물학적 조건을 따지는 것은 언제나 저질스러운 행동으로 의심받아 마땅하다. 그런데 얄궂게도 바로 그 생물학이 여자들의 희망사항에 반하는 연구 결과를 내놓기도 한다.

2011년도에 전미방송협회에서는 '여성들은 생체시계가 종을 치는 시각을 너무 가볍게 여기고 있다' 라는 제목으로 다음과 같은 연구 결과를 발표했다. 과학적 진실을 들여다보면 임신 가능한 여성의 나이가 여자들이 생각하고 기대하는 것과 다르다는 것이다.

많은 여자들이 자신의 생체시계가 임신과 출산이 가능한 기간을 마감하는 종을 치는 것에 대해 대수롭지 않게 여기고 있다. 새로운 연구 결과를 보면, 여자들이 생각하는 것과 실제로 임신이 가능한 시기는 큰 차이가 있다. 이 문제가 심각한 이유는 실제로 여자들이 점점 더 아기를 갖는 시기를 늦추고 있기 때문이다.

우리는 서른 살의 여자가 한 번의 성관계로 임신할 수 있는 확률은 얼마나 되는지 여자들에게 물었다. 많은 여자들이 80%라고 생각했는데 실제로는 30%에도 미치지 못한다. 마흔 살의 여자인 경우 40%정도는 될 것으로 짐작하지만 실제로는 10%도 되지 않는다. 그리고 계속 노력하면 임신을 할 수 있을 것이라고 기대하지만 인간의 의지로 자연의 섭리를 거스를 수는 없다. 또 다른 연구 결과는 많은 여자들이 임신을 도와주는 불임치료를 과신하고 있다는 것을 보여준다. 결론적으로 여자들은 임신할 수 있는 확률에 대해서는 물론이고 여성의 임신 가능한 나이에 대해서도 지나치게 낙관하고 있다.

이 연구를 주관한 전국불임협회의 의장인 바바라 콜루라는 그 어떤 기관에서도 이 문제를 공론화하지 않고 있다고 개탄한다. 산부인과 의사들조차 문제를 제기하지 않는다. 결국, 여자들에게 나이를 먹으면 수태 능력이 감소한다는 사실을 납득시키는 일이 쉽지 않다. 뒤늦게 임신을 원하는 여자들에게 이런 얘기를 들려주면 '왜 진작에 내게 이런 말을 해 주지 않았어?'라는 식의 반응을 보이는 것이다.

나는 여자들의 모성본능에 대해 의심하는 것이 아니다.

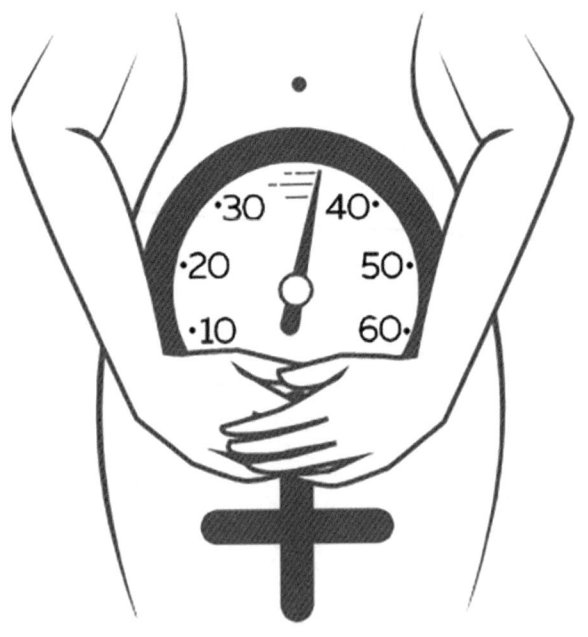

다만 여자들이 임신 가능한 나이에 대해 잘못 생각하고 있는 것이 분명하다. 여자들은 종종 너무 늦게 나이를 먹으면 임신을 할 수 없다는 것을 알게 된다. 젊을 때는 '나는 훌륭한 직장이 있어. 석사학위도 따야 해. 임신은 신경 쓰고 싶지 않아. 그건 나중에 자연스럽게 되겠지'라고 생각한다. 그러다가 임신을 하려고 하는데 잘 되지 않으면 어쩔 줄 몰라하면서 남자들에게 비난의 화살을 돌린다. 철부지 남자들이 포르노를 보거나 비디오게임이나 하면서 시간을 보내느라 제때 아빠가 되지 못하고 있다면서 엉뚱한 곳에 화풀이를 한다.

영화감독 모니카 밍고는 지난 10년 동안 임신하기 위해 노력한 과정을 자신의 블로그에 기록했다. 밍고는 나이 서른두 살이 되었을 때 지금의 남편을 만나 결혼을 했지만 계속 임신을 미루었다. 그러다가 뒤늦게 임신을 결심하고 시도를 했지만 실패하자 허탈감에 빠졌다. 밍고는 그 책임이 사회 전반에 있다고 주장한다. 우리 사회가 남녀가 만나 아이를 갖는 되는 나이를 자꾸만 늦추게 만든다는 것이다.

"여자 혼자서는 어떻게 할 수 없는 문제를 여자들에게 책임을 몽땅 뒤집어씌우는 것 같군요. 여자는 20대 중반부터 임신할

능력이 급작스럽게 줄어든다는 정보가 지금 나한테 도움을 줄
수 있는 게 무엇인가요?"

모니카, 내가 분명히 말하는데, 당신은 신중하게 생각해
서 미래의 인생을 선택했으면 이제 거기에 맞춰서 살아야
한다. 지금 와서 아이를 갖고 싶다고 해서 남자들을 탓할
수는 없다. 남자들이 젊은 여자나 밝히는 '애어른'이라고 비
난하지만 내 짐작에 당신이 영화 학교에 다니면서 전성기를
보낼 때는 아마 그런 생각은 하지 않았을 것이다. 미안하지
만 모니카, 얻는 것이 있으면 잃는 것도 있는 법이다. 모든
것을 가질 수는 없다. 당신은 나이의 벽에 부딪치기 전에
얼마든지 아이를 낳을 수 있었다. 나에게는 당신이 하는 말
이 지옥에서 페미니즘 귀신들이 가마솥에 둘러앉아 주문
을 외우는 것처럼 들린다 .

여자들이 나이가 들어서 뒤늦게 임신을 원할 때 생물학
적인 현실에 부딪치는 것은 그들 스스로 초래하는 결과다.
'모든 것을 다 갖고 싶어 하는' 욕심을 채울 수 없다고 해
서 그 책임을 남자들에게 돌리는 것은 어불성설이다. 만일
여자의 몸 안에 실제로 생체시계라는 것이 있다면 20대 초
반부터 시끄럽게 종을 울려서 경고를 할 것이다. 나이 30

대 중반에 임신 가능한 능력이 저하되는 때가 되어서야 뒤늦게 종을 울리지는 않을 것이다. 그 신호를 무시하는 것은 여자들 자신이다.

17

·············

남자의 연애와 결혼은
적령기가 따로 없다

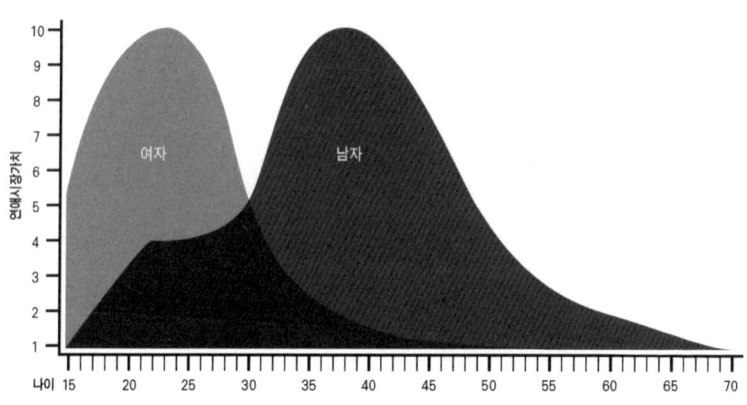

내가 블로그에 글을 올리기 시작한 이유는 무엇보다 남
자들이 자신의 가치를 알고 후회하지 않는 인생을 계획할

수 있도록 도와주기 위한 것이다. 위의 그래프는 내 나름대로 연애 시장에서 남자와 여자의 가치가 어떻게 평가되는지를 한 눈에 알아보기 쉽게 만든 것이다. 반은 장난으로 시작했지만 나중에는 진지하게 남녀의 시장가치가 나이에 따라 상대적으로 어떻게 변화하는지 보여주려고 노력했다. 정밀한 계산에 의한 것은 아니지만 대체로 현실을 반영하고 있다고 생각한다. 내가 이 그래프를 블로그에 올리자마자 팀이라는 필명의 독자가 기다렸다는 듯이 다음과 같은 댓글을 달았다.

"많은 여자들이 실제로 자신이 하는 일을 우선하면서 결혼과 2세 계획을 나중으로 미루고 있습니다. 그 결과 데이트 현장을 살펴보면 서른 살을 훌쩍 넘긴 나이든 직장여성들로 완전히 오염이 되어 있습니다. 그들은 임신적령기가 훌쩍 10년을 넘도록 회전목마를 신나게 타다가 뒤늦게 '정착'해서 마흔이나 된 나이에 아이를 두세 명 낳겠다고 선언합니다. 여자들은 고령에 아이를 갖는 것이 위험하다는 사실을 인정하지 않으려는 것 같습니다."

팀은 여성의 생체시계에 관한 여자들의 인식이 지나치게 낙관적이라는 사실을 지적하고 있다. 여자들의 이런 인식은 어디서 비롯되는 것일까? 내가 보기에 여자들은 성 역할에 도전한다기보다 차라리 남자가 되기를 원하는 것 같다. 여자들이 남자처럼 되고 싶어 하는 것은 글로리아 스타이넘 (옮긴이 주: 페미니즘의 선두주자이며 미즈 매거진의 회장이자 편집인)이 결혼을 해버린 후로 시들해지기는 했지만 1960년대에 시작된 페미니즘의 산물이다. 그래서 반은 남자가 되어버린 여자들은 여성의 생물학적 조건에 대해서도 착각을 하고 있는 것이다.

사실 여자들이 남자들처럼 되고자 하는 욕망은 남자에게 의지하고자 하는 하이퍼가미 본능과 충돌한다. 그래서 여자들은 남자들과 사회적으로 동등한 대우를 받아야 한다고 주장하면서 동시에 남자들에게 주어진 의무들은 계속해서 당연하다는 듯이 요구한다. 한마디로 '모든 것을 다' 갖고 싶어 하는 것이다. 남자처럼 되고자 하는 여자들은 당연히 연애 시장에서의 가치도 남자처럼 인정을 받을 수 있기를 기대한다. 남자들은 대체로 30대 후반이 되어서야 충분히 성숙해지고 자신의 분야에서 성공의 길로 들어서거나 안정적인 위치를 확립하면서 연애 시장에서의 가치가 최고조에 이른다. 이런 사실을 충분히 인지하고 있는 여자들은 자신들도 남자들과 같은 평가를 받아야 한다고 주장한다. 남자들이 30대 후반에 가장 비싼 값에 팔린다면 여자들도 당연히 그렇게 되어야 한다는 것이다.

여자들이 주장하는 바에 의하면 남녀의 연애 시장 가치는 다음과 같이 나타나야 한다.

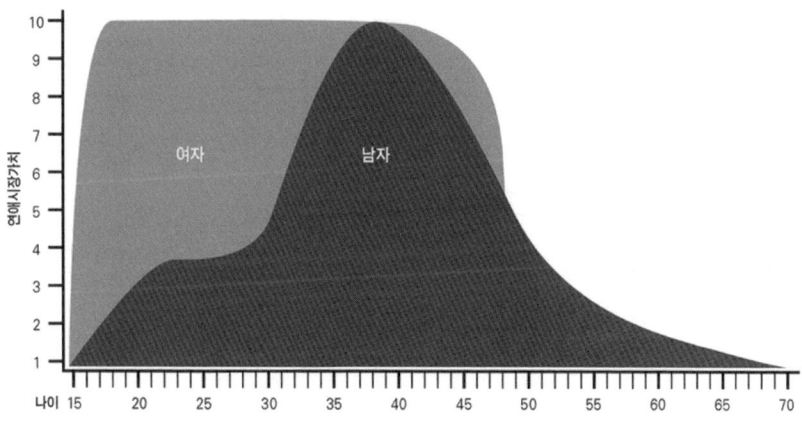

여자들은 위의 그래프처럼 자신들의 전성기가 20대의 한창 나이부터 40대가 되도록 한결같이 유지되기를 바라고 있다. 하지만 이것은 여자들의 희망사항에 불과하며 앞에서 보여준 그래프가 현실이다. 여자들이 젊음을 유지하기 위해 아무리 노력을 해도 연애 시장에서는 남자들이 원

하는 여자의 생물학적 요인들에 의해 평가를 받을 수밖에 없다. 남자들은 젊은 여자만 밝히는 철부지라고 비난하는 것은 나이를 먹으면서 젊은 경쟁자들에게 밀려날 위기에 있는 여자들이 하는 말이다.

18

• • • • • • • • • •

키 작은 남자
콤플렉스

여자들은 흔히 원하는 남자의 조건으로 가장 먼저 키를 이야기한다. 당연히 매노스피어 사이트에는 남자들이 키 때문에 고민하는 글들이 무수히 많이 올라온다. 앞에서도 말했듯이 여자들은 본능적으로 사회적 지위가 높은 남자에게 끌리며, 여기서 말하는 사회적 지위에는 여러 가지 요소들이 포함된다. 미국 유타대학교 데이비드 캐리어 박사는 남자들이 주먹을 쥐고 휘둘렀을 때의 강도를 측정하는 재미있는 실험을 했다. 남자들에게 위로, 아래로, 옆으로, 앞으로 4방향으로 주먹을 휘두른 결과를 측정한 결과, 두 발로 딱 버티고 서서 위에서 아래로 뻗는 주먹이 다른 방향의 주먹보다 두 배나 더 강한 것으로 나타났다.

그 실험을 통해 캐리어 박사는 '예로부터 남자들은 여자를 차지하기 위해 일대일로 주먹다짐을 했고 키가 크면 위에서 아래로 주먹을 날릴 수 있어 싸움에서 유리했을 것'이라는 결론을 내렸다. 여자들은 진화론적으로 자신과 아이들을 보호해 줄 수 있는 남자를 선호하는데 키가 큰 남자들이 이 부분에서 더 유리하다는 것이다.

또한 지배계층의 남자들은 영양 상태가 우수해서 평균적으로 피지배계층의 남자들보다 키가 컸을 것이다. 따라서 여자들은 키 큰 남자에게서 사회적 지위가 높을 것이라는 무의식적인 기대감을 느낄 수 있다. 키가 큰 남자는 자신의 사회적 지위가 높다는 것을 눈으로 보여주고 있는 셈이다.

다시 말하지만, 여자들은 생물학적 요인보다 사회적 요인에 좀 더 민감하게 반응하는데 사회적 요인에는 다양한 조건들이 포함된다. 따라서 키가 아닌 다른 부분에서 우월한 능력을 보여주면 충분히 극복할 수 있는 문제다.

사실 알고 보면 남자들이 갖고 있는 콤플렉스는 키 말고도 수없이 많다. 남자들은 누구나 남녀관계에서 남들이 모르는 문제로 열등감을 갖고 있다. 열등감은 궁극적으로 성격과 관련이 있다. 행동심리학의 추종자로서 나는 사람의 성격은 보다 적극적인 의지와 반복적인 실행을 통해 극복할 수 있다고 믿는다. 그리고 자신감을 만들어가기 위해서는 '생각'을 바꾸기보다는 새로운 '경험'을 쌓아가는 것이 효과적이다. 다시 말해, 성공적인 경험을 하기 위한 '행동'에 집중할 필요가 있다. 따라서 다른 사람들의 평가에 귀를 기울이거나 비교를 하는 것보다는 현실에 도전함으로써 성취감과 만족감을 느끼는 것이 중요하다. 우리의 뇌는 성공적인 경험을 인식하면서 점차 성격과 자아상도 긍정적으로 변화하기 때문이다.

얼마 전 한 인터넷 사이트에서 '남자들은 왜 여자에게 거짓말을 하나?'라는 주제로 주고받는 토론을 읽다가 성격에 대한 질문들이 올라온 것을 보았다. 성격의 본질은 무엇인가? 성격은 우리 스스로 바꿀 수 있는 것인가? 아니면 주변 상황이나 환경에 의해 바뀔 수 있는가?

실제로 사람의 성격은 가변적일 뿐만 아니라 특별한 경우에는 매우 극적으로 바뀔 수도 있다. 심리학에는 정체성과 성격에 관해 여러 가지 이론과 해석이 있지만 기본적으로 사람의 성격이 고정되어 있는 것이 아니라 환경적인 요인에 따라 변할 수 있다는 사실에 모두가 동의한다. 지금의 당신은 2년 전의 당신이 아니다. 또한 지금부터 2년 후에는 또 다른 모습으로 변해 있을 것이다. 어떤 사람을 주어진 순간의 모습을 보고 그의 성격과 인격을 단정지을 수는 없다. 우리는 환경과 조건에 따라 계속해서 변화한다.

나는 실제로 사람들이 인생의 어느 시점에서 전혀 딴 사람이 된 것처럼 행동하는 것을 본 적이 있다. 비극적인 사건을 겪거나 정신적 충격을 받았거나 어떤 깨달음에 도달한 경험으로 인해 관점과 사고방식이 완전히 바뀌었기 때문이다. 대표적인 예로 전쟁터에서 외상 후 스트레스장애를 입고 돌아온 군인들이 있다. 그들의 정신 질환은 식별하기가 쉽기 때문에 종종 심리학에서 연구 대상이 된다. 그들은 전쟁에서 겪은 충격으로 인해 성격이 변해버려서 일상적인 삶에 적응하지 못하고 문제를 일으킨다. 자기치유력이 강한 사람은 시간이 지나면 원래의 성격으로 돌아오지만 그렇지 못한 경우도 있다. 이것은 부정적인 예이지만, 마찬가지로 어떤 깨달음에 의해 심기일전해서 긍정적인 변화를 도모할 수 있다. 우리의 부족한 점을 인정하고 원하는 방향으로 쇄신하기 위해 노력한다면 분명한 효과가 나타날 수 있다.

우리는 평소에도 스스로 내적으로 부족하게 느끼는 것을 보완하고자 노력하면서 살고 있다. 어떤 식으로든 우리가 갖고 있는 약점과 단점을 보완하고 스스로 맘에 안 드는 점을 고쳐 가면서 성숙하고 발전한다. 긍정적인 변화를 위해서는 새로운 생각을 실천하고 행동으로 옮기는 과정이 함께해야 한다. 지금의 당신은 선천적인 요인과 후천적인 요인이 함께 작용해서 만들어진 결과물이며 앞으로도 계속해서 환경과 경험을 통해 변화할 것이다. 작은 성공이라도 많이 경험할수록 더 큰 성공을 거둘 가능성이 높다. 많이 이겨본 사람이 이기고 성공도 성공을 해본 사람이 한다. 성공은 타고난 운명이나 유전자에 따라 결정되는 것이 아니다. 사람의 지능지수도 환경과 의지에 따라 바뀐다. 환경이 사람의 뇌를 성공에 유리하도록 강화하기도 하고 약화시키기도 하는 것이다.

그런데 우리 자신을 변화시키려고 할 때 가장 큰 걸림돌이 되는 것은 다른 사람들이 그러한 노력을 무시하고 폄하하는 것이다. 사람들은 어떤 사람이 전과는 다른 행동이나 태도를 취하는 것을 보면 그 진정성을 의심하는 경향이 있다. 그래서 부질없는 짓을 한다고 조롱하거나 생긴 대로 살라고 충고한다. 하지만 대체 어떻게 하는 것이 생긴 대로 사는 것일까? '너는 원래 그 모양으로 타고 났어. 아무리 발버둥을 쳐도 더 나은 사람이 될 수 없다' 는 말을 하고 싶은 것인가?

사실 우리 자신의 성격을 객관적으로 평가하기는 매우 어렵다. 변화하는 것은 당연히 더욱 어렵다. 그럼에도 불구하고 우리 자신의 부족함을 깨닫고 변화를 시도하는 것은 충분히 자부심을 느낄만한 일이며 응원을 받아야 마땅하다. 누군가 그러한 노력을 의심하고 비웃는다면 귓등으로 듣고 흘려보내도 된다.

여자에게 말도 못 거는 소심한 남자들이 모여 있는 그룹은 통 속에 들어 있는 게들과 같다는 말이 있다. 한 남자가 용기를 내서 통 밖으로 기어나가려고 하면 친구들이 발목을 잡아 다시 끌어내린다. 사실 우리가 잘 알고 있는 어떤 사람이 어느 날 갑자기 외모나 행동이 바뀌거나 새로운 사람들과 어울리는 것을 보면 생소하고 불편하게 느껴지는 것은 당연하다. 나 역시 한때 바닥을 기던 최악의 베타남이었지만 지금은 든든하고 다정한 알파 아버지이자 알파 남편이 되었다. 내가 하고 싶은 말은 알파남의 일반적인 기준을 정해놓고 거기 미치지 못한다고 낙담하지 말라는 것이다.

19

. . . .

자신의 가치는
스스로 평가하라

"롤로, 당신에게 배운 연애 전략을 시험해보면서 차츰 자신감
이 생기기 시작했고 여러 여자들을 성공적으로 만나고 있습니
다. 그런데 정말 섹시하고 근사한 여자는 내 부류가 아니라고
느껴집니다. 감당할 수 없을 것은 생각이 듭니다. 이런 저에게
따로 해주실 말씀이 있을까요?"

여자들의 하이퍼가미 본능이 추구하는 목적은 언제나
더 나은 생활력을 갖춘 남자를 선택하는 것이다. 현대를 사
는 우리는 모두가 평등한 사회에서 살고 있다고 생각하고
싶어 한다. 그리고 여자들은 남자들과 동등하게 평가를 받
아야 한다고 주장한다. 하지만 연애 시장에서 여자들은 자

신보다 조건이 더 나은 남자와 결혼하는 것을 당연시하는 분위기가 형성되어 있다.

어울리는 짝을 만난다는 것은 기본적으로 '모든 조건이 동등하다면, 신체적으로 자신과 동일하거나 비슷한 수준의 매력을 가진 이성과 짝을 이루는 것'이다. 이것이 부류라는 용어의 개념이다. 하지만 부류라는 용어는 계급이나 마찬가지로 기본적으로 '모든 인간은 동등하지 않다'는 사실을 전제로 한다. 연애 시장에서도 마찬가지다. 모든 남자와 여자를 같은 잣대로 평가하고 부류를 정해서 거기에 해당되지 않으면 제외시키는 것이기 때문이다.

외모에서 풍기는 매력 점수 외에 다른 조건들이 비슷한 남녀가 만나는 것이 바람직다면 실제로 같은 조건을 갖고 있는 남녀는 연애 시장에서 같은 등급으로 평가를 받고 있을까? 그렇지 않다. 현실에서는 남자의 조건이 여자와 같은 수준이라면 연애 시장에서는 남자가 여자보다 한 등급 아래로 떨어진다. 이를테면, 외모나 재산이나 학력 수준이 1~2 단계는 더 높아야 같은 등급으로 인정을 받는다. 여자들 뿐 아니라 남자들 스스로도 그렇게 생각한다.

남자들이 자신을 기준보다 낮추어서 평가하는 이유는

원하는 여자를 얻기 위해서는 모든 조건을 갖추어야 한다고 생각하기 때문이다. 외모는 매우 중요한 요인이다. 또한 경제력이 있어야하고, 성격도 좋아야 하고, 비전도 있어야 한다. 남자들에게 요구되는 기준은 지나치게 가혹하고 까다롭다. 반면에 남자들은 주로 여자의 신체적인 조건에 등급을 매기는데, 어떤 식으로든 여자의 조건을 따지는 남자는 얄팍하고 천박하다는 소리를 듣는다.

이러한 편협한 부류 심리는 연애 시장에서 여자들에게 유리한 상황을 연출한다. 다시 말해 남자들이 스스로 알아서 걸러진다면 여자들은 남자를 선택하기가 쉬워진다. 어떤 여자의 남자가 될 자격에 대해 스스로 의심을 품고 '나는 그 여자와 같은 부류가 아니다' 라고 생각하고 물러서게 만드는 것이다.

이처럼 연애 시장에서 부류의 개념은 남자들이 자진해서 걸러내도록 하는 장치이자 여자들의 시장가치를 올리는 효과가 있다. 지난 세기 동안 여성들은 전반적으로 시장가치가 상승한 반면 여자들의 개인적인 시장가치는 하락했다. 남자들의 경우엔 정반대다. 남자들은 개인적 시장가치는 상승했지만 전반적인 시장가치는 하락했다. 남자들은 이와 같은 부류 심리에 의해 스스로 자신의 가치를 평가절하하

는 것은 아닌지 돌아보기 바란다. 당

당신은 자신에 대한 평가를 제대로 하고 있는가? 부류 심리를 인식해서 마음에 드는 여자가 있어도 말도 걸어보지 못하고 포기하는 것은 아닌가? 부류에 대한 세간의 속설은 무시해버리자. 연애 시장에서 남녀를 평가하는 불공평한 기준은 잊어버리자. 사회 심리에 길들여지지 않는 남자는 여자의 호기심과 상상력을 자극할 수 있다. 다소 주제넘게 보일지라도 자신감을 갖는 것이 부류의 개념을 버리는 좋은 출발점이 될 수 있다. 사실 부류 개념이 작용하는 이유는 무엇보다 남자들 스스로 자신감을 갖지 못하는 자격지심 때문이다.

4장

합리적 연애수칙

20

....

과거의 연애 경험을
떠벌리지 마라

내 블로그에 포기라는 독자가 얼마 전 다음과 같은 글을
올리고 조언을 구했다.

최근 한 여자를 알게 되어 몇 번 잠자리를 하고 나서 오늘 아
침 침대에서 이런 대화를 나누었습니다.

그녀: 자기 지금까지 만난 여자가 몇 명이나 되죠?

나: 말하지 않을래요.

그녀: 한 스무 명 정도?

나: 내 차에 정보 제공 신청서가 있으니까 정식으로 신청서를
작성하면 한 20 년쯤 후에 대답해 줄게요.

그녀: 자기는 내가 그동안 몇 명의 남자들을 만났는지 알고 싶

지 않아요?

나: 아니, 전혀 알고 싶지 않아요.

이런 대화를 나누었는데 내가 적절하게 잘 대답을 한 것인지 당신의 생각을 알고 싶군요.

- 포커

미성숙한 남자들은 마치 무용담을 늘어놓듯이 과거의 연애 경험을 모조리 털어놓는다. 스스로 실토를 하거나 질문에 대답을 하거나, 남자들이 지금까지 여자를 몇 명이나 만났는지 고백하는 의도(사실이거나 아니거나)는 항상 자신을 과시하는 것이다. 하지만 그렇게 아무 생각 없이 공개를 하면 종종 나중에 부메랑이 되어 돌아올 수 있다는 점을 명심해야 한다. 어떤 상황에서 여자의 질투심과 분노를 폭발시키는 불씨가 될지 알 수 없기 때문이다. 그러니 여자가 꼬치꼬치 캐물으면 넌지시 비켜가는 것이 상책이다.

여자: 지금까지 같이 자본 여자가 몇 명이나 되죠?

남자: 정말 당신이 처음이야.

여자: 거짓말 말고 말해봐. 몇 번이나 해봤나구요?

남자: 오늘 밤에 말이야?

여자: 딴청 부리지 말고 솔직히 말해요. 몇 명의 여자하고 잠자리

를 해 봤죠?

남자: 이런... 50까지 세다가 숫자를 놓쳤네요.

여자가 이런 질문을 할 때는 이미 짐작하고 있는 것을 확인하려는 것이다. 절대 여자가 만족할만한 대답을 해주지 말자. 다소 위험하긴 하지만 여자의 상상력을 자극한다면 경쟁심을 불러일으킬 수 있다.

여자: 지금까지 같이 자본 여자가 몇 명이나 되죠?

남자: 나한테 좋은 생각이 있어요. 우선 한 번 같이 자보는 거야. 그러고 나서 내가 몇 명의 여자하고 잠자리를 했는지 당신이 한번 알아 맞혀봐요.

여자의 상상력을 이용하는 방법은 언제나 효과적인 전략이다. 지금까지 만난 여자가 한두 명이라면 고백을 한다고 해서 설마 무슨 큰일이 나겠느냐고 대수롭지 않게 생각할 수 있다. 하지만 남녀관계에서 '정직함이 최선의 정책'이라는 격언은 적용되지 않는다. 여자가 단도직입적으로 질문을 한다면 (원래 여자들의 모국어는 넌지시 운을 떠보는 방식이지만) 아마도 그 이유는 남자를 확실하게 자기 것으로 만들기 위해 기다리다가 인내심에 한계를 느꼈기 때문일 것이다.

만일 당신이 여자와의 잠자리가 처음이라고 고백한다면 그 순간부터 이미 지고 들어가는 게임이 된다. 만일 아홉 번째라고 말한다면 그 이전에 만난 여덟 명의 여자들이 그녀의 무기가 되어 당신과 다투는 일이 생길 때마다 등장할 것이다. 아니면 데이트를 할 때마다 여자가 궁금해 하고 께름칙해 할 것이다. '이 남자는 과거에 어떤 여자를 여기 데려 왔을까?' 만일 정서가 불안정한 여자라면 그 정보를 무기로 사용해서 수시로 남자를 괴롭힐 수 있다. 만의 하나 여자가 처음부터 나쁜 의도를 갖고 접근했거나 헤어진 후에 앙심을 품으면 협박할 수 있는 빌미를 제공한 것이 될 수도 있다. 뒤늦게 후회해도 소용없다.

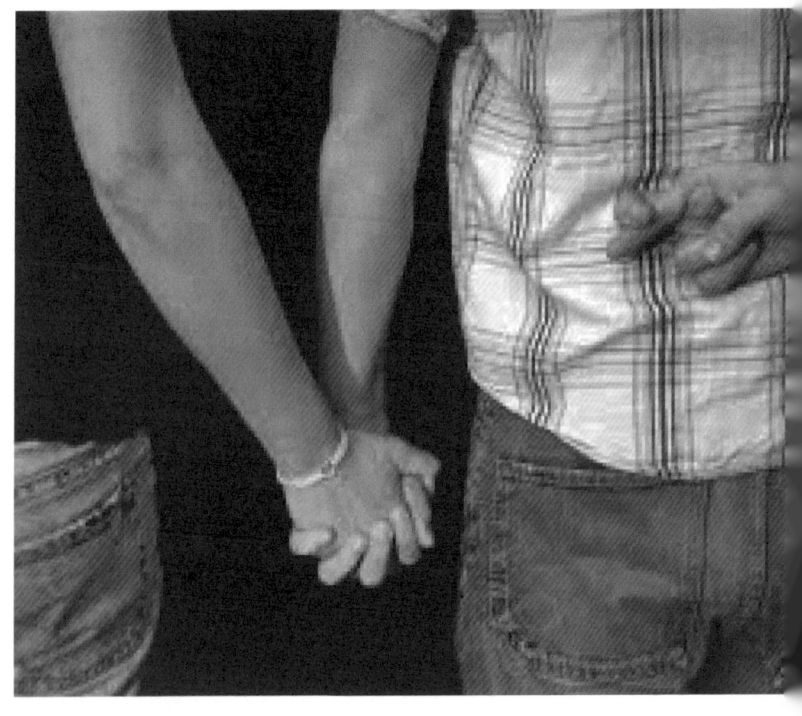

....

21

친구로 지내자는 제안은
단호하게 거절하라

　이성 간의 우정은 가능한가? 이런 이야기가 나올 때마다 〈해리가 샐리를 만났을 때〉라는 영화 줄거리가 자주 등장한다. 해리와 샐리는 12년에 걸쳐 우연히 마주치는 친구 사이로 지내다가 마지막에 서로에 대한 진정한 사랑을 깨닫고 결혼을 한다. 두 사람이 각자 다른 사람들을 만나보고 나서 마침내 평생의 동반자로 맺어지는 결말은 바람직하다. 사실 그 영화는 남녀 간에 우정이 가능한지에 대한 답은 주지 않는다. 만일 두 사람이 결혼을 하지 않았다면 친구 사이로 끝났을 것이다. 하지만 그들이 그렇게 오랜 시간에 걸쳐 만나고 헤어지기를 반복한 것은 이성으로서 호감이 있었기에 가능했다. 내가 말하고자 하는 것은 그 영화처

람 해피엔딩으로 끝나는 경우는 현실에서는 드물다는 것이다. 대개는 남자가 여자에게 이용을 당하다가 배신감을 느끼고 돌아서는 것으로 끝난다.

남녀 간에 우정이 가능한지 아닌지에 대한 논란은 언제나 있어왔다. 성숙한 남녀 사이에서는 순수하게 플라토닉한 사랑이 불가능하다는 주장은 남녀가 동등하다고 믿는 양성평등 사회에서 인기가 없는 것이 사실이다. 게다가 여자들보다 남자들이 먼저 나서서 반박을 한다.

"무슨 소리에요? 나는 여자들과 친구로 잘 지내고 있는데."

"여자는 친구가 될 수가 없다고요? 그럼 여자들을 모두 적으로 생각하라는 건가요?"

이것은 흑백논리 식의 말장난에 불과하다. 남녀는 친구 사이로 동등할 수도 서로 만족할 수도 없다고 말하면 엉뚱하게 남성우월주의자라고 몰아 부치는 것이다.

남녀는 우정에 대해 생각하는 관점이 다르고 그에 따라 이성 친구에 대한 생각도 다를 수밖에 없다. 만일 정말 남녀가 기본적인 특성과 모든 환경적 요인이 동일하다면 동성 간의 우정과 마찬가지로 이성간에도 우정을 쌓는 데 그 어떤 장애도 없어야 한다. 하지만 남녀 간에는 우정이 불가능하지 않더라도 동성 친구와 같은 방식이나 수준의 우정을 맺을 수 없다는 것이 내 생각이다. 다시 말해 남녀 사이의 우정에는 한계가 있다. 예를 들어, 당신과 '친구' 사이로 지내는 여자가 어느 날부터 다른 남자와 연인으로 만나기 시작한다고 하자. 그러면 당신과 그녀와의 우정은 예전과 같을 수 없다. 그 여자는 새로 만난 연인과의 관계를 발전시키려면 이성 친구와의 우정을 버려야 할 것이다.

남녀 간에는 아무리 플라토닉한 우정을 나눈다고 해도 성별이 다른 것 때문에 문제가 생긴다. 만일 당신의 여자친구가 '이성친구'라는 남자와 즐거운 시간을 보낸다면 당신은 분명 질투를 느낄 것이다. 왜 굳이 다른 남자와 시간을 보내야하는지 의심이 든다. 나는 결혼한 지 17년이 된 유부남인데 만일 내가 다른 여자 (특히 매우 매력적인 여자)와 매우 가깝게 지낸다면 아무리 친구 사이라고 주장해도 주변사람들은 불륜을 의심할 것이다. 내 아내가 어떤 남자와 친구로 지내도 마찬가지다.

분명 누군가는 여자들과 친구로 잘 지내고 있다고 반박할지 모른다. 하지만 내가 장담하건대 이성간의 우정은 언젠가는 한계에 직면한다. 주변에서 친구로 인정을 해주는 관계라고 해도 마찬가지다. 여자들은 이성 친구에게 동성 친구들에게 하는 것처럼 기대하고 이해해주기를 바란다. 하지만 여자들끼리 소통하는 방식을 이해할 수 있을 만큼 참을성이 있는 남자는 드물다.

만일 지금 당신이 어떤 여자의 이성친구로 지내고 있다면 당장 그 역할을 그만두기 바란다. 그 여자는 당신이 딱히 마음에 들지 않지만 자신을 좋아하는 남자들을 거느리고 있는 사실을 즐기고 있을 것이다. 여자는 주변 사람들에게 자신을 따라다니는 남자가 있다는 것을 자랑삼아 이야기할 것이고 그들 눈에 당신은 가능성도 없는 여자에게 목을 매는 한심한 남자로 보일 것이 틀림없다. 그리고 당신은 림보 춤을 추듯 왔다갔다 하다가 여자에게 진짜 남자친구가 생기자마자 보기 좋게 걷어차일 것이다.

"어떻게 하면 여자의 이성 친구 역할에서 탈출해서 연인관계로 발전할 수 있나요?"

애초에 그 안으로 들어가지 마라. 여자들은 '우리 그냥 친구로 지내요' 라는 거절 방법을 거의 백 년 동안은 써먹었다. 썩 내키지 않는 남자를 적당히 따돌릴 수 있을 뿐 아니라 거절을 하고서도 계속해서 남자의 관심을 받을 수 있는 방법이기도 하다.

여자가 '친구로 지내자'는 제안을 하면 두말할 필요 없이 단호하게 거절하라. 그러면 여자가 정말 거절을 하는 것인지 아니면 밀당 테스트를 해보는 것인지 알 수 있다. 여자가 거절을 하면 미련 없이 떠날 수 있다는 태도를 보여주는 것이 밀당 테스트를 통과하는 비결이다. 당신을 놓치고 싶지 않다면 이제부터 여자가 노력해야 할 것이다. 만일 여자가 진심으로 거절한 것이라고 해도 마찬가지로 당당하게 돌아서서 나와야 한다. 무릎 꿇고 매달려서는 안 된다. 당신을 남자 친구 대용으로 이용하는 여자와 '친구 놀이'를 하는 시간에 진짜 연인이 되어줄 여자를 찾아보는 것이 생산적이다.

22

· · · · · · · · · ·

여자 앞에서
지나친 자기비하는
하지 마라

앨런이라는 남자는 데이트 세 번 만에 자신을 차버린 여자에게 다음과 같은 이메일을 보냈다고 한다.

"지난번에 만났을 때 나를 정말 지루한 남자라고 생각했을 거예요. 한심한 행동을 해서 미안합니다. 당신이 한 말을 곰곰 생각해 보니 최근에 내가 제정신이 아니었던 것 같습니다. 지금까지 데이트를 하면서 내가 당신에게 보여준 모습을 돌아보면 퇴짜를 맞아도 마땅하다는 생각이 듭니다. 당신과 데이트를 했다고 말할 수도 없는 것이 성숙한 남자처럼 보이려고 애쓴 것이 전부였으니까요(그 때는 나 자신도 내가 무슨 짓을 하는지 몰랐어요.). 사실 그것은 저의 진짜 모습이 아니었어요. 하여튼, 이제는 정신을 차리고 다시 나의 본래 모습으로 돌아왔습니다. 우리 다시 만날 수 있으면 좋겠어요. 만일 나를 다시 만나준다면 약속할게요. 까다로운 샌님처럼 행동하지 않을게요. 손발이 오글거리는 문자도 보내지 않을게요. 당신 눈에 내가 얼마나 덜 떨어진 녀석처럼 보였을지 충분히 상상이 됩니다."

자초지종을 구체적으로 알 수는 없지만 나는 지금까지 남자들이 반성하고 자책하는 내용의 이메일이나 문자를 보내서 여자의 동정심에 호소하는 것을 종종 보아왔다. 남자들이 이런 식으로 자기비하를 하는 것은 여자에게서 '괜찮아요. 나는 다 이해하니까 용기를 내요' 라는 대답을 들으려는 의도가 작용한다. 유약한 모습을 보여주면 여자의 모성애를 자극할 수 있을 것이라고 기대하는 것이다. "나는 스스로 부족한 점을 잘 알고 있고 자기반성도 할 줄 아는 남자입니다. 그러니 제발 나를 사랑해주세요."

아니면 여자 앞에서 자신을 낮추는 것이 '다른 남자들과는 다르게' 보일 거라는 착각을 한다. 하지만 남자가 여자 앞에서 자기비하를 하는 것은 자기 무덤을 파는 짓이다. 스스로 한심한 인간이라고 광고를 하면서 어떻게 점수를 따기를 바랄 수 있겠는가? 일단 어떤 여자 앞에서 자신을 '머저리'로 만들어 놓으면 다시는 그 여자에게 자신감을 갖고 다가갈 수 없다. 그러니 절대 여자의 동정심을 얻으려고 하지 마라. 여자의 동정심은 구걸한다고 해서 얻을 수 있는 것이 아니다. 여자는 멍청한 남자가 아니라 사랑하는 남자에게 모성애를 느낀다는 점을 명심해야 한다. 게다가 여자들은 동정심을 강요당하는 것을 질색한다.

여자 앞에서 남자가 잘난 척 하는 것이나 너무 줏대 없이 구는 것이나 꼴불견이기는 마찬가지다. 남자가 자신감을 가지는 것은 당연히 건강하고 좋은 일이다. 겸손 역시 훌륭한 덕목이다. 하지만 진정한 겸손이란 오직 자신감에서 나온다. 확실히 이길 수 있는데도 싸우지 않는 것이다. 자신감이 지나치면 거만하게 보일 수 있지만 자신감이 없는 겸손은 비굴함에 불과하다. 특히 기사도정신이나 공명심 같은 환상에 빠져서 여자 앞에게 자신을 낮추는 것을 '뭇 남자들과는 다르게' 보이는 방법이라고 생각하는 것은 겸손이 아닌 어리석은 자기만족이다.

여자들은 나름대로 남자의 겸손함을 평가하는 기준이 있겠지만, 남자가 여자에게 자신의 부족한 점을 이야기할 때는 그것을 극복할 수 있다는 자신감을 보여주어야 한다. 남자가 솔직하게 자신의 단점을 이야기하는 것과 자기비하를 하는 다른 문제다. 여자들이 밀당 테스트를 할 때 남자가 자기비하를 하면서 굽히고 들어가면 다시는 회복이 불가능하다. 겸손은 미덕이지만 자기비하는 겸손이 아니다. 여자에게 칭찬이나 위안이나 포용을 바라고 자신을 비하할 수 있지만 실제로 돌아오는 결과는 기대하는 것과는 전혀 다를 것이다.

대중문화는 종종 남자가 조롱과 비웃음을 받는 것을 대수롭지 않게 묘사한다. 하지만 사람들의 웃음거리가 되던 남자가 마지막에 여자의 사랑을 쟁취한다는 줄거리는 영화에서나 가능할 뿐이다. 못난 개구리가 어느 날 마법에서 깨어나 왕자가 되어 공주의 선택을 받는 일은 현실에서 일어나지 않는다. 남자가 여자에게 어줍잖은 인상을 한번이라도 심어주면 쉽게 회복이 되지 않는다. 여자들은 우유부단한 머저리가 아니라 자신감과 결단력이 있는 남자를 원한다. 실수를 하거나 잘못한 것이 있어도 인정하지 말라는 이야기는 아니다. 상황이나 조건에 따라 진심으로 사과할 줄도 알아야 한다. 부족한 점을 인정할 줄 알면서도 '나는 지금보다 앞으로 훨씬 발전할 것이다' 라는 태도로 남자다운 자신감을 드러내 보여야 한다.

여자들이 유머러스한 남성을 좋아하는 이유는 유머 감각이 위기 대처 능력을 보여주는 동시에 높은 테스토스테론 수치를 나타내기 때문이라고 한다. 원숭이 사회에서 알파 수컷이 보여주는 행동의 특징은 일반 수컷들이 두려움을 느끼는 위험한 상황이나 스트레스 상황에서 오히려 어처구니 없을 정도로 여유를 부린다는 점이다. 원숭이가 진화하여 인간이 되었듯이 원숭이의 허세는 인간의 유머로 진화된 것일지도 모른다.

23

....

기다려야 하는 섹스는
기다릴 가치가 없다

사막에서 굶주리다 보면 과자 한 조각에도 눈이 휘둥그 레지는 법이다. 마찬가지로 연애에 소질이 없는 남자가 오랜 만에 마음에 드는 여자를 만나면 '이 여자에게는 뭔가 특별한 것이 있다.'고 생각하게 된다. 내가 접시 돌리기를 연애 전략에서 가장 중요하게 생각하는 이유는 바로 이런 착각 에서 벗어나거나 미리 예방할 수 있는 가장 효과적인 방법 이기 때문이다.

남자가 접시 돌리기나 다른 연애 전략을 비인간적이라고 느낀다면 그것은 남녀관계가 여성 중심으로 움직이는 사회 심리에 길들여진 결과다. 내가 '남자의 합리적 연애 수칙'을 블로그에 연재하기 시작했을 때 수많은 비난이 쏟아져 들어왔는데 모두들 여성의 편에 서서 나의 정신 상태를 의심하는 글이었다. 이미 예상했던 바이다. 그럼에도 불구하고 나는 꿋꿋하게 남자들에게 실용적인 연애전략을 수립하라고 조언한다. 예를 들어, 몇 번째 데이트에서 섹스를 하는지에 대해 생각해보자. 내 생각에는 적어도 데이트를 세 번하고 나면 여자가 당신을 얼마나 원하는지 판단할 수 있어야 한다.

첫 번째 데이트에 섹스를 했다면 그 여자는 이미 당신에게 폭 빠져 있는 것이다. 두 번째나 세 번째 데이트에서 섹스를 했다면, 여자는 처음부터 당신이 무척 마음에 들었지만 '쉬운' 여자로 보이고 싶지 않았을 것이다. 그리고 여자는 당신과 계속 만나기를 원할 것이다. 하지만 만일 다섯 번 이상 데이트를 하면서도 여자가 계속해서 "좀 더 기다리고 싶어요. 서로에 대해 알고 난 후에…"라는 말로 섹스를 미룬다면 아마도 두 달 가까이 만났을 터인데 이제 그만 만날 때가 되었다.

내가 소위 삼진아웃이라고 부르는 이 원칙은 알파남의 특성에 관한 글 다음으로 많은 논란이 일었다. 남녀 간의 사랑에는 진정한 성적 욕망이 있어야 한다는 나의 주장을 여자들은 순수하게 받아들이지 않는다. 그들은 내가 여자를 오로지 성적 욕망을 충족시키기 위한 대상으로 여기고 있다고 비난한다. 반쪽 신화를 믿지 않는 남자들조차 섹스를 쉽게 허락하는 여자는 문란하다고 의심하는 경향이 있다.

하지만 여자가 섹스를 거부한다면 당신은 분명 그 여자에게 영순위가 아니다. 성적 끌림은 두 사람 사이에서 자연발생적으로 일어나는 화학 반응에 의한 것이며 협상의 과정을 거쳐 이루어지는 것이 아니다. 여자가 남자와 같이 있기를 간절히 원한다면 어떻게 해서라도 방법을 찾는다. 비행기를 타고 날아오거나 가시철망 밑을 기어오거나 이층 침실로 기어올라 오거나 옷장 속에서 숨어서 끈기 있게 기다리거나, 무슨 수를 써서라도 기회를 만든다. 진정으로 사랑하는 남자가 원한다면 얼마든지 싸구려로 여겨지는 것도 감수한다. 모든 여자는 누군가에게는 성적으로 헤픈 여자가 될 수 있다. 남자는 여자의 그런 속성을 불러내기만 하면 된다.

여자가 밤에 헤어지면서 이따금 뺨에 키스를 하는 정도로 거리를 둔다면 새로운 여자를 만나서 다시 시작하는 편이 나을 것이다. 처음 만나는 남자에게 다리를 벌리는 여자를 만나라는 것이 아니다. 만일 세 번 이상 데이트를 한 여자에게 여전히 섹스를 구걸하면서 입에 발린 이야기를 늘 어놓고 있다면 당신을 진정으로 사랑하는 여자를 만날 수 있는 기회와 시간만 낭비하고 있는 것이다. 자꾸 미적거리는 여자와 마침내 섹스를 하게 되더라도 그것은 결코 기대하는 것만큼 만족스럽지 않을 것이다.

진정한 욕망은 타협할 수 있는 문제가 아니다.

여자 쪽에서 별다른 이유 없이 섹스를 거부한다면 다른 이유가 있을 것이다. 다른 남자가 있거나 혹시 더 나은 남자가 나타나지 않을까 기다리는 것일 수도 있다. 여자도 남자와 마찬가지로 진정으로 원하는 상대가 나타나면 이것저것 따지면서 내숭을 떨지 않는다. 남자친구가 있는데도 바람을 피우는 여자들은 이 말이 무슨 뜻인지 알 것이다. 여자는 하이퍼가피 본능을 충족시킬 수 있는 남자를 만나면 첫 만남에서도 섹스를 할 수 있다. 여자가 어떤 환경이나 조건들이 맞을 때까지 기다려달라는 말을 그대로 믿는 남자를 보면 안타까운 생각이 든다. 그런 남자는 여자들은 섹스를 하기 전에 '편안하고 친밀한 분위기'를 필요로 한다고 자신을 설득한다.

게다가 이미 잠자리를 같이 한 적이 있는데 그 이후에도 남자가 구걸을 해야 한다면 확실하게 관계를 정리하는 편이 나을 것이다. 남자가 섹스를 기다리라는 여자의 말에 순순히 동의하는 것은 스스로 성적인 매력이 없다는 사실을 인정하는 격이다. 알파남은 기다리지 않는다는 것을 여자들은 아주 잘 알고 있다.

섹스를 미루는 것은 남녀가 서로 가까워지기 위해 필요한 과정이 아니다.

섹스는 그 자체가 편안한 마음으로 하는 행위가 아니다. 남녀가 서로 가까워지기 위해서는 함께 공감을 나누며 유대감을 깊게 하는 시간이 필요하지만 더불어서 서로를 육체적으로 갈구하는 열정이 있어야 한다. 그리고 섹스는 건조기에서 막 꺼낸 안락하고 따뜻한 목욕가운처럼 편안하고 안락한 것이 아니라 불꽃이 튀는 긴장감과 초조함이 복합적으로 작용하는 행위다.

사실 어느 누구도 남녀관계를 성적인 관계로만 생각하고 싶지는 않을 것이다. 나 역시 마찬가지다. 내 말은 낭만적이고 예술적인 영혼은 죽여 버리고 오로지 남녀의 만남을 육체적인 욕구를 만족시키기 위한 목적으로 생각하라는 것이 아니다. 사실 남녀가 만나서 진실한 연애를 하기 위해서는 낭만적 감성이 필수적이다. 하지만 여자들의 하이퍼가미 본능은 당신이 위대한 시인의 영혼을 갖고 있는지 고결한 이상과 신념을 갖고 있는지 상관하지 않으며, 연애 시장에서 더 높은 가치를 가진 남자를 골라서 자기 것으로 만드는 것이 유일한 목표라는 것을 잊지 말아야 한다. 연애 시장에서 당신은 여자들의 하이퍼가미 본능이 추구하는 수많은 상품 중 하나일 뿐이다. 여자들은 잠재적 구혼자들을 여럿 유지하다가 자신의 시장 가치가 조금씩 흔들리기 시작한다고 느끼면 그 중에서 안정적인 삶을 제공해줄 수 있는 남자를 선택한다. 이와 같은 여자들의 현실적인 연애 방식에 대응하기 위해서는 남자들도 낭만적인 사랑에 대한 환상을 버리고 실용적인 전략을 수립할 필요가 있다.

<<<<<<<<

만일 당신이 종교적인 신념에 따라 순결을 지킨다고 해도 삼진아웃 원칙에 비추어보면 여자가 당신을 얼마나 원하는지 가늠할 수 있을 것이다. 사실 삼진아웃 원칙의 핵심은 만나는 모든 여자들과 섹스를 하는 것이 아니라 순수한 열정으로 당신을 원하는 여자를 만나는 것이다.

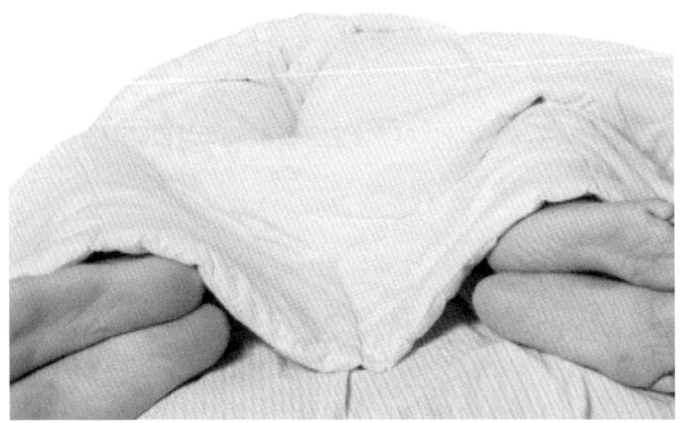

24

....

6개월 내에
결혼할 계획이 아니라면
동거하지 마라

여자친구와 동거하지 마라. 여자의 집으로 들어가지 마라. 그리고 당신의 생활공간으로 여자를 들이지 말라.

나는 혼전 동거에 단호하게 반대하는 입장이다. 내가 동거를 반대하는 이유는 도덕적인 관점에 근거한 것이 아니다. 다른 문제에서와 마찬가지로 진보와 보수를 떠나 단지 실용주의적인 관점에서 이야기하는 것이다.

한때 반체제 문화 운동으로 기존의 질서를 비웃으며 남녀가 결혼을 거부하고 동거를 하는 것이 유행한 적이 있었다. 60년대 말의 성혁명과 히피문화 속에서 페미니스트들은 프리섹스를 즐기는 혼전 동거를 장려했다. 요즘은 문화보다 사회경제적 환경이 남녀관계와 결혼의 패러다임을 바꾸어놓고 있다. 전 세계적으로 결혼보다 동거가 증가하는 추세에 있는데 그 이유는 국가마다 다르다. 유럽의 일부 국가에서는 사회보장 제도에 의해 동거하는 커플도 결혼한 부부와 같은 혜택을 받는다. 그들은 몇 년을 동거하다가 헤어지기도 하고 정식 결혼 절차를 거쳐 법적인 부부가 되기도 한다. 하지만 동거 커플들은 자녀를 낳지 않는 것이 일반적이고 사회적인 불안정을 초래할 가능성이 크기 때문에 정부에서 젊은이들의 결혼을 장려하기 위한 여러 가지 우대정책을 시행하고 있다.

반대로 국가의 경제는 발전하지만 오히려 개인의 경제는 어려워지고 있는 나라에서는 젊은이들이 쉽게 결혼을 결정하지 못하고 동거 상태로 관계를 유지하는 경향이 있다. 동거에 찬성하는 남자들은 주로 경제적인 문제를 이유로 든다. 같이 살면서 집에서 데이트를 하면 돈과 시간을 절약할 수 있다는 것이다. 데이트라는 형식에 구애받을 필요가 없으며 섹스를 하러 멀리 운전을 하고 나가지 않아도 된다. 상대방에 대해 좀 더 잘 알고 결혼을 하면 이혼할 확률이 낮아진다는 의견도 있다. 하지만 동거가 이혼의 확률을 낮출 수 있다는 증거는 통계로도 나와 있지 않을 뿐더러, 동거를 하면서 결혼 이후의 삶을 예측하는 것은 불가능하다는 것이 내 생각이다. 결혼생활은 동거와 다르다. 동거를 할 때는 아무 문제가 되지 않았던 것이 결혼을 하면 문제가 될 수 있다. 동거를 결혼을 위한 시험 단계로 생각하는 것은 지나치게 단순한 논리다.

우리 사회에서 혼전 동거에 대한 인식은 여자들에게 좀 더 부정적인 것은 사실이지만 여자뿐 아니라 남자에게도 혼전 동거는 개인적인 발전의 기회를 제한하는 걸림돌이 될 수 있다. 남자 쪽에서 동거를 제안하거나 받아들이면 여자로서는 결혼 약속을 받는 것으로 생각한다. 여자들은 남자보다 동거에 좀 더 신중한 편이지만 다른 한편으로는 연애 시장에서 다른 여자들과 경쟁해야 하는 불안감으로부터 벗어날 수 있는 이점도 있다.

남자는 여자와 동거를 하면 당연히 결혼을 해야 한다는 의무감 뿐 아니라 현실적으로 책임을 져야 하는 문제가 생기기 십상이다. 서류 상으로 서약을 하지 않았다는 것만 다를 뿐 독신으로 누릴 수 있는 자유로운 생활방식을 포기해야 하는 것은 물론이고 서로 잘 맞지 않는다는 것을 알았더라도 관계를 유지하기 위해 최선을 다해야 한다.

결국 동거는 문제를 해결해주기보다는 더 많은 문제를 가져온다. 남자들은 모든 법적인 제약에서 자유로운 동거를 유리한 선택이며 '남자의 입장에서는 손해 볼 것이 없다'는 안일한 생각을 할 수 있다. 남자들이 동거에 찬성하는 이유는 알고 보면 주로 섹스와 관련이 있다. 다른 이유는 변명거리에 불과하다. 하지만 여자와 관련된 일이 종종 그렇듯이 혹을 떼려다가 혹을 붙일 수 있다는 것을 명심해야 한다. 물론 결혼을 했다가 이혼을 하면 평생 여자에게 위자료에 양육비까지 주어야 한다. 미국 여자들이 가장받고 싶어하는 선물이 혼인신고서라는 우스갯소리도 있다. 하지만 결혼이라는 제도를 피해 동거를 했다가 오히려 의도하지 않은 결혼까지 하게 되는 위험을 경계해야 한다.

25

....

여자에게
피임을 맡기지 마라

2002년도에 전미 농구협회 NBA는 프로 농구선수들에게 자칫하면 사회적으로 큰 논란을 불러올 수 있는 경고를 했다. 원정시합을 하러 가서 여자와 성관계를 갖게 될 때는 반드시 콘돔을 사용하고 사용한 콘돔은 변기에 넣고 쓸어 내리라는 것이었다.

이 경고는 선수들이 툭하면 친자 확인 소송에 휘말리는 것을 예방하는 차원에서 취한 조치였다. 알고 보니 소송을 건 여자들은 선수들이 쓰레기통에 버린 콘돔을 주워서 남아있는 정액으로 스스로 임신을 한 것이었다. 이런 사건이 자주 발생하자 농구협회연맹 차원에서 경고까지 하게 된 것이다. 소송에서 패한 선수들은 지금까지 하룻밤을 같이 보낸 여자와의 사이에서 생긴 아이의 양육비를 전액 부담하고 있다.

여자가 부정한 방법으로 임신을 해도 남자가 빠져나갈 수 있는 방법은 없다. 남자가 피임을 하기 위해 노력했다는 것을 충분히 증명할 수 있다고 해도 여자가 임신을 하면 무조건 남자가 책임을 져야한다. 대체 남자는 어느 정도까지 방어를 해야 책임에서 벗어날 수 있는 것인가? 만일 싱글맘과 결혼을 했다가 이혼을 하게 되면 남자는 자기 자식이 아닌 아이의 미래까지 책임지고 돌봐야 한다. 나는 도의적으로 옳고 그름 따지는 것이 아니라 단지 사실을 이야기하는 것일 뿐이다.

오늘날 여자들이 할 수 있는 피임법은 41가지나 있다. 남자가 할 수 있는 피임법은 콘돔 뿐이다. 남자들이 여자가 '선택'하는 임신을 막을 수 있는 다른 피임법은 없다. 얇은 고무막 하나에 원하지 않는 여자와 평생 동안 어떤 식으로든 관련을 맺고 살아야 하는 운명이 달려 있다. 아니면 정관수술을 해야 한다. 이러한 현실은 피임이 과학의 문제가 아니라 문화와 관련된 문제이기 때문이다.

언젠가 온라인에서 만일 여자들이 피임약을 복용하는 것처럼 남자들이 먹는 피임약이 개발된다면 어떤 결과가 나타날 것인가에 대해 논쟁을 벌인 적이 있다. 여자들은 남자들이 먹는 피임약을 개발하는 것에 대해 절대 반대하는 입장을 펼쳤다. 그렇게 되면 지금 여자들이 갖고 있는 결정권이 남자들에게 넘어갈 것이고 그 결과 인구는 격감하고, 가족은 남자들이 지배하는 신족벌주의로 대체될 것이며 가히 그 파괴력은 원자폭탄의 발명과 맞먹을 것이라는 인류 종말론까지 등장했다.

나는 이것을 매우 흥미로운 주제라고 생각한다. 인류가 60년대에 여자들을 위한 경구용 피임약을 개발했는데, 어째서 인간의 유전자 지도까지 그려내는 지금까지 남자들을 위한 피임약은 개발되지 못하고 있는 것일까? 나는 남자용 호르몬 피임약이 개발되면 두 번째 성혁명이 일어날 것이라고 생각한다. 하지만 장담하건대 틀림없이 종교집단부터 페미니스트까지 모든 이익단체들이 들고 일어나서 남자의 피임약 사용에 반대하는 투쟁을 벌일 것이다.

1940년대에 콘돔이 발명되었을 당시에는 아마 남자들에게 어느 정도 유리한 상황이었을 것이다. 콘돔을 사용할 때는 두 사람 모두의 이해와 동의가 필요했지만 결국 여자가 임신을 하는 것은 남자의 결정에 달려 있었다. 하지만 어느 한 쪽이 원하지 않는 임신은 드물었고 싱글맘의 숫자도 적었다. 그러다가 여자들이 먹는 피임약이 개발되면서 피임에 대한 결정권이 여자들에게 넘어갔다. 인류의 미래를 이끌어 갈 후손들을 생산하는 막중한 임무가 여자들에게 맡겨진 것이다. 여자들은 마음만 먹으면 엄마가 될 수 있고 남자들은 부부 금슬이 아무리 좋아도 여자가 결정을 해야 아빠가 될 수 있게 되었다.

성혁명은 낙태의 합법화보다는 호르몬 피임법의 발명으로 인한 결과다. 여자들은 전보다 자유롭게 섹스를 즐길 수 있고 원할 때 아이를 임신할 수 있게 되었다. 하지만 예상했던 것과는 반대로 그 후 몇십 년에 걸쳐 낙태율이 치솟았다. 그러자 70년대에 낙태에 대해 법적이고 의학적인 규정이 필요해졌고 친자확인 소송법을 개정해야 했다. 물론 그 이전에도 낙태는 있었다(병원에서도 하고 뒷골목에서도 불법적으로 행해졌다).

오늘날에는 여자가 할 수 있는 피임법은 더욱 편리하고 다양해졌고 새로운 사후 피임약까지 나왔지만 낙태는 여전히 줄어들지 않고 있다. 게다가 병원에서 안전하게 낙태를 할 수 있게 되었는데도 싱글맘은 점점 더 많아지고 있다.

결정적인 순간에 콘돔을 착용하는 것과 아침에 일어나

알약 하나를 삼키는 것 중에 어느 쪽이 더 어려운지 단순하게 비교할 수는 없다. 하지만 콘돔을 사용하는 것은 두 사람이 합의 하에 이루어지는 반면 피임약을 먹는 것은 여자의 자유의지에 달려 있다. 그렇다면 콘돔 없이 섹스를 해서 여자가 임신을 하면 두 사람이 똑같이 책임을 져야 한다. 아니면 여자가 피임약 먹는 것을 잊어버렸거나 의도적으로 먹지 않았거나 일단 임신을 하면 그 잘못은 여자에게 있다. 하지만 현실은 정반대다. 모든 책임은 남자에게 돌아간다.

남자들은 피임을 여자에게만 맡겨두면 나중에 곤경에 빠질 수 있다는 사실을 명심해야 한다. 당연히 여자가 피임약을 먹거나 다른 조치를 취했으리라고 믿었다가는 9개월 후에 뜻하지 않게 아빠가 될 수 있다. 대부분의 남자들은 여자가 피임약을 먹고 있는지 아닌지 확인하지 않는다. 이따금 만나는 사이라면 그런 것을 물어보는 것 자체가 주제넘고 무례한 짓이다. 결국 남자로서는 확실하게 콘돔을 착용하는 방법 밖에 없다. 특히 장기적인 연인 관계로 지내다보면 긴장이 풀어져서 실수를 하기 쉽다. 남자가 자신을 닮은 아이들이 집안에서 뛰어다니는 것에 대해 준비가 되지 않았다면 콘돔을 잊지 말아야 한다. 남자는 주머니에서 콘돔을 꺼내다가도 여자가 "걱정 마요. 피임약을 먹고 있으니까." 라고 하면 다시 주머니에 넣게 된다. 하지만 그 결과에 대한 책임은 남자가 져야 한다. 그러니 여자가 아무리 안심을 시킨다고 해도 굴하지 않고 콘돔을 사용하고 변기에 쓸어내려야 한다.

콘돔은 성병을 예방하는 효과도 있다. 나는 평생 마흔 명이 넘는 여자와 연애를 했지만 단 한 번도 성병에 걸리거나 결혼 전에 어느 여자도 임신을 시킨 적이 없다. 반면에 성경험이 전혀 없는 남자가 생전 처음 같이 잔 여자에게서 성병이 옮을 수도 있다.

성병에 대한 공포 조장은 일부일처제 결혼을 합리화시키기 위한 것이다. 성병을 관리하려면 같이 자는 파트너의 수를 줄여야 한다는 논리다. 하지만 성병에 걸릴 확률을 계산하려면 몇 명의 섹스 파트너와 잠자리를 했는가 뿐만 아니라 그 파트너들이 몇 명의 또 다른 파트너들과 같이 잠자리를 했는지도 따져야한다. 이런 식으로 계산하면 성병에 걸릴 확률이 기하급수적으로 늘어난다. 서구에서는 성병에 걸려 죽을 확률보다는 암, 심장마비, 흡연 혹은 비만과 연관된 질병, 혹은 음주운전으로 죽을 확률이 훨씬 더 높다.

임질, 매독, 요도염, 헤르페스 그리고 에이즈까지 포함하더라도 다른 질병들과 비교하면 사망에 이를 확률은 적을 뿐더러 대부분은 미리 예방할 수 있다.

물론 남자들에게 무조건 더 많은 여자들과 섹스를 즐기라고 부추긴다면 나는 대중의 몰매를 맞을 것이다. 하지만 만일 남자가 "휴, 정말 다행이야. 나는 절대 이 여자 저 여자 만나는 일이 없으니까 절대로 성병에 걸릴 염려는 없겠지." 라고 말하는 것은 대체로 여자에게 거절 당할까봐 두려워서 용기를 내지 못하는 것에 대한 자기합리화에 불과하다

26

....

떠나는 여자를
붙잡을 시간에
새 여자를 만나라

"롤로, 도와주세요! 그녀가 저를 떠나려고 합니다. 어떻게 해야 하죠?"

지난 7년 동안 매노스피어 사이트에 올라온 질문들을 모아서 정리해보니 '떠난 여자를 어떻게 하면 다시 돌아오게 할 수 있나요?'라는 내용의 질문이 가장 많았다. 충분히 이해할만 하다. 남자 인생의 어느 시점에서는 여자에게 거절당하는 것보다 괴로운 것이 없기 때문이다. 나도 과거에 한두 번 여자와 헤어진 후에 관계를 다시 회복해보겠다고 죽기 살기로 매달려본 적이 있다.

나의 대답은 떠나는 여자를 잡으려고 애쓰는 시간을 더 나은 남자가 되기 위한 자기계발에 투자하라는 것이다. 그리고 실연의 아픔에서 벗어나지 못하고 있어서 아직은 내키지 않더라도 사람들과 어울리면서 새로운 사랑을 찾아보자. 사람에게 받은 상처는 사람을 통해 치유를 받을 수 있다. 떠나는 여자를 잡는 것은 당신 자신을 세상에서 가장 쉬운 남자로 격하시키는 짓이다. 다시 만나게 되더라도 그 여자에게 당신은 언제라도 떠날 수 있는 남자가 된다.

쓰레기통에 뭔가를 버렸으면 절대 그것을 다시 찾겠다고 밑바닥까지 뒤지지 말라. 당신의 몰골이 지저분해질 뿐 아니라 옆에서 이웃들이 보고 있다. 그리고 마침내 그것을 찾았을 때는 결코 당신이 기대했던 것만큼 가치가 없을 것이다. 혹시 다시 만난다고 해도 두 사람이 헤어지게 되었던 문제로 인해 이미 관계가 변질되었기 때문이다.

다시 말해, 두 사람이 헤어질 수밖에 없었던 문제는 그대로 남는다. 두 사람은 그 문제의 결말이 어떻게 끝나는지 이미 알고 있다. 다시 만난다고 해도 두 사람이 앉아 있는 방 안에는 항상 거대한 몸집의 고릴라가 함께 있을 것이다. 앞에서도 말했듯이, 건전한 관계는 절대 타협이나 의무가 아닌 서로를 향한 진정한 욕망이 있어야 가능하다. 그런데 헤어졌다가 다시 만나게 되면 상대방에 대한 기대를 낮추고 타협을 해야 한다.

두 사람이 다시 만나기로 하고 문제가 되었던 행동을 다시 되풀이하지 말자고 약속한다고 하자. 신뢰를 다시 회복하기 위해 노력하고 새로운 사람이 되겠다고 다짐한다. 그렇지만 두 사람을 파경에 이르게 했던 문제가 다시 일어나지 않으리라는 보장은 없다. 의심은 항상 거기 있다. 30년이 지난다고 해도 한때 두 사람이 헤어진 적이 있다는 사실은 항상 거기에 있을 것이다. 예를 들어, 당신의 여자친구가 딴 남자랑 바람을 피웠다고 하자. 당신과 그녀와의 관계는 더 이상 예전과 같을 수 없다. 당신은 지금까지 두 사람이 함께 했던 모든 일들이 의심스러워진다. 게다가 만일 당신이 여자를 붙잡기 위해 돌아와 달라고 애원을 한다면 그것은 여자의 뇌리에 깊은 인상으로 또렷이 박혀서 절대 잊히지 않는다. 떠나간 여자의 마음을 돌려보려고 부질없이 애쓰기보다는 새로운 여자와 새로운 관계를 시작하는 편이 실연의 상처를 가장 빨리 극복하고 진정한 사랑을 찾아가는 방법이다.

그렇다면 실연의 고통을 어떻게 극복할 것인가? 스위스

의 정신과의사였던 엘리자베스 퀴블로 로스는 죽음을 앞둔 사람들이 현실을 받아들이게 되는 과정을 다섯 단계로 구분해서 보여주었다. 이 유명한 심리 이론을 이런저런 상실감에 대입해서 해석해 놓은 예들이 수도 없이 많은데, 나도 여기서 실연을 당한 상실감을 극복하는 과정에 적용해 보겠다.

부정의단계

말 그대로 실연을 당했다는 현실을 받아들이지 못하고 부정한다. 전화기를 손에서 내려놓지 못하고 연락이 오기를 기다린다. 상대방이 떠난 이유가 사랑이 식었기 때문이 아니라 다른 곳에 있을 것이라고 상상한다. 아니면 만나지 않겠다는 사람을 찾아가서 어떻게든 마음을 돌려보기 위해 부질없는 노력을 한다. 그러면서 마음의 상처는 점점 더 깊어진다.

분노의단계

하지만 한 번 식어버린 사랑은 되돌릴 수 없다. 미움과 원망을 어쩌지 못해 비를 맞으며 거리를 헤매기도 하고, 술을 퍼마시기도 하고, 복수를 다짐하기도 하고, 괜한 사람에게 시비를 걸고 화풀이를 하기도 한다. 아니면 스토커가 되어 상대방을 괴롭히거나, 분노를 자신에게 돌려 자학적인 행동을 하거나, 심지어 자살을 기도하는 수도 있다.

타협의 단계

'분노'의 시기를 거치면서 아무리 발버둥을 쳐봐야 상황을 돌이킬 수 없다는 것을 깨닫고 자포자기하는 심정이 된다. 하지만 여전히 미련이 남아있어 혼란스럽다. 실연의 아픔은 아직 사라지지 않았다. 하지만 시간이 지나면 결국 방황을 끝내고 서서히 현실을 받아들이게 된다.

절망의 단계

현실을 완전히 인지하면 그 다음에 오는 것이 절망이다. 사랑했던 연인이 곁에 없다는 상실감은 깊은 절망함으로 변해간다. 자신이 쓸모없는 사람처럼 무가치하게 느껴지면서 열등감으로 위축이 되어 대인관계를 기피한다. 사랑에 대해 깊은 회의가 들고 다시는 그 누구와도 사랑을 할 수 없을 것 같다. 하지만 이러한 깊은 절망은 바닥을 치고 올라오는 힘이 될 수 있다. 이 단계를 벗어나지 못하고 우울증으로 발전하는 경우도 있지만, 대부분은 실연의 아픔을 통해 성숙해질 수 있는 '수용'의 단계로 접어든다.

수용의 단계

마지막 다섯 번째 '수용'의 단계에서는 현실을 완전히 인정하고 받아들이게 된다. 고통스러운 실연의 상처는 아물어가고, 문득문득 가슴 한 켠이 아련해지기도 하지만, 이전의 일상을 되찾아간다. 이 단계에서 고통을 감내한 사람에게 주어지는 성숙의 기회가 찾아온다. 이제는 새로운 사랑이 찾아왔을 때 좀 더 성숙하고 현명한 사랑을 할 수 있을 것이다.

사람에 따라 이 다섯 단계를 거쳐 가는 방식도 시간도 다를 수 있지만, 대부분은 결국 실연을 아픔을 극복하면서 내성을 길러간다. 실연의 고통이 찾아왔을 때는 이와 같은 다섯 단계를 고스란히 거치며 버티는 수밖에 달리 방법이 없다.

끝까지 버티는 자가 마지막에 승리한다.

만일 당신이 지금 사랑하던 여자와 헤어지고 나서 힘들어 하고 있다면, 그 이별은 진정한 '인연'을 만나기 위한 과정이며, 결국 인연은 우리의 의지에 의해 얼마든지 만들어질 수 있다는 것을 기억하자. 이제 지나간 인연은 잊고 새로운 사랑에 도전할 때가 되었다. 독신일 때 사랑하는 연인과 헤어지는 것은 마음에 상처가 남는 것으로 끝나지만 결혼 생활에 파탄이 났을 때의 결과를 생각하면 독신남의 이별 정도는 차라리 축복과도 같은 것이다. 이혼을 하면 당사자 들뿐 아니라 아이들은 물론 주변사람들까지 고통을 겪고 경제적이고 현실적인 문제에 시달리게 된다.

우리는 다른 일에서는 항상 실패하는 경우를 두려워하고 대비하지만 사랑하는 사람과 결혼할 때는 그 결혼이 실패할 수도 있다는 것은 상상조차 하지 않는다. 사실 우리 인생에서 결혼보다 더 중요한 일류지대사가 없는데도 불구하고 이혼의 가능성을 염두에 두고 결혼을 결정하는 사람은 없다. 결혼 이후의 현실에 대해서는 생각을 하지 않고 '영원히 행복하게 살았더래요.'하는 동화 속의 행복한 결말을 꿈꾼다. 하지만 살다보면 마음먹은 대로 되지 않는 일들이 있고 그 중에서도 사람과의 관계는 일방적인 노력으로 되는 것이 아니다. 안 그러면 어째서 그렇게 많은 사람들이 이혼을 하겠는가.

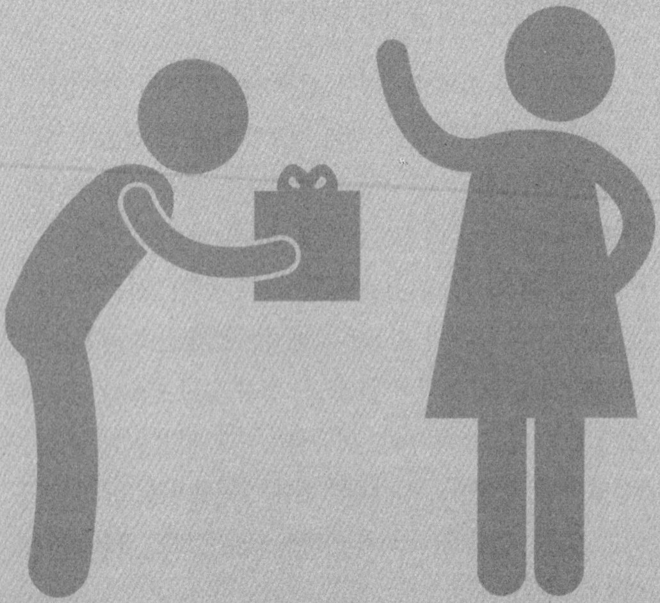

5장

여자가 원하는 것

27

....

사랑에 빠진 여자는
오락가락하지 않는다

"여자 마음은 갈대와 같다."

남자가 이런 말을 한다면 그 이유는 대체로 여자가 전달하는 의미를 제대로 이해하지 못하기 때문이다. 보통 남자들은 여자가 하는 말만 듣고 행동은 읽지 않는다. 여자의 말과 행동이 다르다고 느낀다면 그것은 여자의 행동을 해석하는 능력이 부족하기 때문이다.

만일 여자가 당신을 대하는 태도가 오락가락하면서 일관성이 없다면, 그것이 바로 메시지다. 분명 여자는 당신이 썩 마음에 들지 않는 것이다. 그녀에게 당신은 영순위가 아니다. 당신보다 나은 후보자가 나타나기를 기다리는 중이다. 여자가 갑자기 데이트를 취소했다고? 이런저런 핑계를 대면서 만나는 것을 피한다고? 관심을 보이다가도 얼마 안 가 다시 시들해진다고? 그것이 바로 메시지다.

여자가 어느 날은 당신에게 푹 빠진 것 같다가 다음 날은 시큰둥해지는 등 오락가락 동요가 심하다면 잠시 그녀를 멀리하라. 여자가 마음을 정리하고 다시 돌아온다면 그때는 당신의 프레임 안에서 만날 수 있다.

여자들은 원래 변덕이 심하고 이해할 수 없는 존재라고 생각한다면 모든 것을 양보할 수밖에 없다. 여자를 제대로 이해하려면 행동까지 읽어야 한다. 여자들은 암시를 주는 방식으로 의사를 전달한다. 행동주의 심리학에 의하면 어떤 사람의 진정한 동기와 의도를 파악하는 유일한 방법은 그의 행동을 관찰하는 것이다. 만일 여자들이 하는 행동을 유심히 관찰해본다면 말보다 훨씬 더 많은 정보와 진실을 알게 될 것이다. 만일 여자가 하는 말과 행동이 다르다면 그녀가 하는 말은 절대 진심으로 받아들여서는 안 된다.

뇌과학자들의 연구 결과에 의하면 여자들은 남자보다 태어날 때부터 복잡한 구조의 소통 방법을 가지고 있다(신경 전달 경로가 다르게 구성되어 있다). 실제로 여자들이 인간

관계에서 눈치가 빠르고 미묘한 신호를 더 잘 포착하는 능력이 있는 것은 사실이다. 하지만 여자가 하는 말을 곧이곧대로 믿다가는 낭패를 보기 십상이다. 여자를 이해하려면 말보다는 행동을 봐야 하는데 대부분의 남자들은 관찰력과 주의력이 부족하다. 그래서 남자들은 여자들이 일구이언을 한다거나 변덕이 죽 끓듯 한다거나 아이들처럼 떼를 쓴다거나 감정적으로 반응한다는 식으로 과소평가하고, 그러면서 우월감을 느낀다. 남자들 눈에는 여자들이 소통하는 방법이 매우 비합리적으로 보이기 때문이다.

남자는 사실을 서술하고 여자는 느낌을 표현한다.

남자들은 정보를 전달하는 것을 목표로 논리적으로 서술한다. 말하는 내용을 중요하게 여기므로 의도를 분명하게 이야기하고, 어떤 문제가 있는지 알아내고 분석해서 해결책을 제시하려고 노력한다. 남자들의 신경구조 자체가 그렇게 만들어져 있다. 반면 여자들은 어떤 내용을 전달하거나 문제를 해결하는 것보다는 대화 자체가 목적이다. 그래서 대화를 할 때 세부적이고 부차적인 묘사를 즐긴다. 남자들에게는 여자들의 이러한 소통 방식이 당혹스럽고 혼란스럽다.

도대체 여자들이 원하는 것이 뭘까? 나 역시 10대 시절에 종종 이런 질문을 했던 기억이 있다. 하지만 마흔이 넘은 남자가 똑같은 질문을 하는 것을 보면 그냥 웃을 수밖에 없다. 여자가 원하는 것이 무엇인지 알아내서 환심을 산다는 것은 한 마디로 시간과 노력을 낭비하는 부질없는 짓이기 때문이다.

이를테면, 남녀가 만나 시간이 가면서 서로에게 익숙해지면 짜릿한 감정은 사라지기 마련이다. 뜨거운 열정은 사라지고 섹스는 의무적이 된다. 이 단계가 되면 남자는 협상을 하기 시작한다.

나는 섹스를 원한다.

그녀가 원하는 것이 무엇인지 알아낸다.

여자가 원하는 것을 주면 섹스로 보답을 받을 수 있다.

이것은 매우 단순한 삼단논법이다. 남자들은 이런 식의 논리에 기초해서 여자가 필요로 하는 것을 주려고 애쓴다. 펑크 난 타이어를 교체해주고, 근사한 레스토랑에 데려가고, 기대서 울 수 있는 어깨를 빌려주고, 전화기를 붙들고 몇 시간 씩 넋두리를 들어준다. 처음 만났을 때처럼 열정적이고 뜨거운 사랑을 나눌 수 있기를 바라며 여자의 비위를 맞춘다. 결혼한 부부들은 심리상담을 받으면서 성생활의 해결책을 모색한다. 설거지를 하고 빨래를 하면서 아내의 기분을 살핀다. 하지만 남자가 어떤 노력을 쏟아 부어도 식어버린 여자의 열정이 돌아오게 할 수는 없다. 사랑은 협상의 대상이 아니기 때문이다.

남자가 사랑을 얻기 위해 자신의 행동, 태도, 신념, 무엇이라도 바꾸겠다고 타협을 하는 순간 여자의 자연스러운 욕망은 빚을 갚아야 하는 의무가 된다. 경제적인 도움이나 정서적인 위안을 주는 것으로는 여자의 자연스러운 성적본능을 자극할 수 없다. 만일 주고받는 식의 거래로 여자와 섹스를 한다고 해도 그 섹스는 진정성이 부족하다. 여자가 남자에게 빚을 진 것처럼 느껴서 의무적으로 하는 섹스에 순수한 열정이 있을 리 없다. 남자가 드러내고 구걸하는 태도를 보이는 것은 오히려 역효과를 불러올 뿐이다. 여자들도 누구나 정열적인 사랑을 원한다. 하룻밤을 자도 만리장성을 쌓는다는 말이 있지 않은가. 결혼을 했거나 동거 중이거나 하물며 원나잇스탠드라고 할지라도 남녀관계는 마음에서 우러난 열정이 필요하다.

우리는 로맨틱코미디 영화에서 남자들이 여자의 의도를

오해하고 어처구니없는 행동을 하는 것을 보며 즐거워한다. 보통 남자가 여자의 환심을 사려다가 오해를 하고 엉뚱한 행동을 하는 바람에 한바탕 소동이 벌어지는 내용이다. 그 공통적인 주제는 남자들은 어리석고 한심하다는 것이다.

하지만 알고 보면 여자들은 자신들도 원하는 것이 꼭 집어서 무엇인지 모른다. 아니면 무엇을 원한다고 솔직하게 털어놓고 이야기하지 않는다. 여자들이 원하는 것은 일일이 말해주지 않아도 알아서 남자가 다 알아서 해주는 것이다. 여자가 원하는 것은 끝이 없다. 한 가지 욕구를 충족시켜주면 다른 곳에서 불만을 느낀다.

한마디로 여자들이 궁극적으로 원하는 것이 뭐냐고? 알파남을 만나 하이퍼가미 본능을 실현하는 것이다. 여자와 남자가 상대방에게 기대하고 원하는 것이 다른 만큼 서로를 이해하기가 어려운 것은 당연하다. 그러니 여자가 원하는 것이 무엇인지 알아내려고 전전긍긍하는 시간에 여자들이 원하는 남자가 되기 위해 자신에게 투자하는 것이 인생에서 성공하는 실용적인 연애 전략이다.

28

· · · · · · · · · ·

여자의 상상력을
자극하라

여자의 상상력을 이용해서 열정을 불러일으키는 방법은 언제나 효과적이다. 모든 연애 전략은 여자의 상상력을 어떻게 활용하느냐에 따라 성패가 좌우된다. 남자가 연애 시장에서 자신의 가치를 높이려면 여자들의 마음을 설레게 만들고 경쟁심을 불러일으킬 수 있어야 한다. 알파남은 누가 가르쳐주지 않아도 이런 능력을 갖고 있다.

남자들이 가장 많이 하는 실수는 첫 번째 데이트에서 자신에 대해 술술 털어놓고 이야기하는 것이다. 그러면서 여자가 자기의 진심을 믿어줄 것이라고 착각한다. 하지만 결국은 여자에게 퇴짜를 맞고 그 이유를 궁금해 한다. 여자들은 절대 자기 이야기를 시시콜콜 털어놓는 남자에게 매력을 느끼지 않는다. 여자들이 남자들에게 솔직해지라고 요구할 때는 다른 속셈이 있는 것이다. 여자들은 남자에 대해 상상을 하고 스스로 사랑의 감정을 불러내는 것을 좋아한다. 무엇보다 여자들은 상대방을 꿰뚫어보는, 여성만이 갖고 있는 직관 능력으로 남자의 모든 것을 알아낼 수 있다고 생각하기를 좋아한다. 그런데 남자가 드러내고 자신의 성격, 지나온 일, 가치관 등을 떠벌린다면 그 순간 여자는 남자에 대해 상상하면서 느끼는 호기심, 흥분, 긴장감이 한꺼번에 사라질 수 밖에 없다.

오랜 연인 사이일수록 여자의 상상력을 자극할 필요가 있다. 무엇보다 여자에게 예측 가능한 뻔한 남자로 보이지 말아야 한다. 여자는 어디로 튈지 모르는 럭비공 같은 남자에게 매력을 느낀다. 여자가 남자를 익숙하고 편안하게 느끼면 섹스에 대한 흥미도 사라진다. 아무리 좋은 것도 일상이 되면 시들해지기 마련이다. 결혼 후에 더 자주 뜨거운 섹스를 한다는 친구가 있다면 만나보고 싶다. 여자들은 의심과 질투심에서 오는 긴장감과 흥분을 갈구한다. 그런 기분을 느끼게 해주는 남자가 없으면 잡지나 연애소설을 보면서 즐거워하는 것이 여자들이다.

그러면 남자는 어떤 식으로 대처해야 하는가? 우선 한

여자와 장기적인 관계로 들어가기 전에 누구의 프레임으로 들어가는지를 알아야한다. 남녀관계는 여성이 중심이 되어야 하며 거기에 맞춰 사는 게 당연하다는 식의 생각을 갖고 있다면 여자가 하는 대로 따라갈 수밖에 없다. 그렇게 되면 남자는 여자의 프레임에 갇혀 버리고 여자로서는 더 이상 남자를 자신의 울타리 안으로 들어오게 하려고 애쓸 필요가 없어진다. 만일 남자가 어떤 여자와의 관계로 인해 스스로 인생을 관리할 수 없는 상황이 된다면 그 여자와는 장기적인 관계로 들어가지 않는 것이 좋다.

둘째는 고리타분하고 뻔한 남자가 되지 않는 것이다. 여자들은 도덕군자 같은 남자를 지루해한다. 여자들은 믿고 의지할 만한 남자를 필요로 하다가도 정작 마음을 두근거리게 하고 짜릿한 흥분을 느끼게 하는 남자와 잠자리를 한다.

현대 문화는 남자들에게 감정을 숨기지 말고 표현하라고 독려한다. 솔직하게 자신을 드러내라는 것이다. 하지만 50년 전 만해도 남자들은 감정을 절제하고 밖으로 표현하지 않는 것이 미덕이었다. 요즘은 남자들에게 감정을 표현하라고 가르치지만 내 생각에 여자에게 매력을 어필하기 위해서는 좋은 방법이 아니다. 실제로 여자들은 경망스러워 보이는 남자보다는 과묵한 남자에게 매력을 느낀다. 남자들이 여자들보다 사회적으로 감정을 절제하는 것은 그런 남자들이 여자들의 선택을 받아왔기 때문이 아닌가 싶다. 남자가 감정 표현을 과용하면 도무지 믿음직해 보이지 않는 것이 사실이고 그래서 남자들은 어릴 때부터 감정을 절제하도록 교육을 받는 것인지도 모른다.

남자는 활짝 웃는 여자에게, 여자는 침묵하는 남자에게 매력을 느낀다.

나는 남자들에게 여자들처럼 말보다 행동으로 원하는 것을 얻어내는 법을 배우라고 조언한다. 남자들은 자신에 관한 모든 진실을 있는 그대로 다 털어놓거나 혹은 굳건한 약속을 해 주는 것이 여자의 마음을 얻기 위해 필요하다고 착각하기 쉽다. 하지만 그럴수록 여자는 남자에게 매력을 느끼지 못한다. 상상력을 펼칠 여지가 사라져버리기 때문이다. 여자 스스로 알아낸 것처럼 생각하게끔 유도해야 한다. 여자들은 신비로운 여성의 직관으로 남자를 파악할 수 있다고 생각하면서 즐거워한다. 여자에게서 그런 즐거움을 빼앗아 버리면 아마도 당신을 버리고 수수께끼를 풀어야 하는 좀 더 재미있는 장난감을 찾아나설 것이다.

여자에게는 절대 '속마음'을 이야기해서는 안 된다. 당신이 의도하는 결론을 여자 스스로 내리도록 유도하라. 남자의 연애 전략에서 가장 유용한 도구는 여자의 상상력이다. 그 도구를 사용하는 법을 배우자.

29

• • • • • • • • •

여자의 성

"원래 여자들은 남자들보다 더 성적이다. 단지 억압되어 있을 뿐이다."

나는 이런 말을 하는 남자를 보면 그 저의가 의심스럽다. 남자들이 이런 말을 하는 배경에는 여자들이 자신들처럼 성적이 되기를 바라는 마음과 자격지심, 그리고 여자를 싸잡아서 비하하려는 심보가 숨어 있다. 얄팍한 연애기술을 가르치는 픽업아티스트들을 만나보면 남녀관계의 기본적인 원리에 무지하거나 관심이 없다는 것을 알게 된다. 그들은 여자에 대해 마치 대단한 비밀을 알려주는 것처럼 남자들을 솔깃하게 만들지만 여성에 대한 생물학적 기초 지식만 알아도 그 허구성이 뻔히 드러나 보인다.

건강한 남자의 신체에서는 여성보다 12~17배의 테스토스테론이 분비된다. 테스토스테론은 여러 가지 다른 작용도 하지만 성욕에 가장 큰 영향을 주는 호르몬이다. 따라서 여자가 남자만큼 자주 섹스를 하고 싶어 한다는 것은 생물학적으로 불가능하다. 어떤 여자가 "나는 왜 섹스가 남자들에게 그렇게 중요한 것인지 이해할 수가 없어."라고 한다면 대체로 진실을 말하고 있다고 보면 된다.

환경적인 변수를 제외하고 남성의 테스토스테론은 평균적으로 나이 마흔이 넘은 후에도 1년에 겨우 1% 씩 감소한다. 따라서 남자들은 청소년기부터 시작해서 나이 마흔이 될 때까지 꾸준하게 성욕이 유지되고, 건강한 남성이라면 나이 예순이 되어서도 젊었을 때보다 겨우 평균 20% 정도만 감소한다. 또한 남자들은 시각적인 자극만 받아도 금세 성적으로 흥분이 된다. 반면 여자들은 시각적인 자극보다 심리적인 요소에 의해 자극을 받는다.

일부 학자들은 인간의 성적인 반응이나 흥분은 반드시 테스토스테론에 의해서만 일어나는 것이 아니라는 점을 강조한다. 하지만 테스토스테론이 성욕을 증가시키는 주요한 요인임에는 틀림없다. 여자들은 스테로이드를 맞지 않는 한 12 ~17배나 많은 테스토스테론이 작용을 하면 어떤 느낌이 드는지 절대 알 수 없다. 실제로 보디빌딩을 하는 한 여성은 아나볼릭 스테로이드(근육 증강제)를 복용하면 성욕이 백 배나 증가한다고 보고했다.

여성의 몸도 성욕을 유지하고 뼈를 튼튼하게 하고 근육을 만들기 위해 테스토스테론을 필요로 한다. 폐경기 이후 여자들의 성욕 감퇴를 회복시키는 호르몬 치유법에 테스토스테론이 사용된다. 반면 여성 호르몬인 에스트로겐은 테스토스테론의 분비를 늦추고 청소년기의 발육을 촉진하고 가슴을 부풀리게 하는 작용을 한다. 남자들의 경우에는 에스트로겐이 근육을 이완시키고 전립선암에 걸릴 가능성을 줄여 주기도 한다.

또한 여자의 성욕은 남자의 성욕과는 다르게 작용한다. 여자들의 성욕은 주기적일 뿐 아니라 평생에 걸쳐 변화한다. 예를 들어, 배란기에는 임신을 용이하게 하기 위해서 테스토스테론의 양이 급격하게 증가했다가 월경을 시작하면 다시 감소한다. 여자가 배란기가 되면 성욕이 증가할 수 있고 일생의 어느 시기에는 남자만큼 성적이 될 수 있지만 평상시의 여성호르몬이나 생화학적인 반응으로만 본다면 여성의 성욕은 남성과는 비교가 되지 않는다. 캐나다 브룩대학교의 심리학자 앤서니 보개트 교수는 『무성애를 말하다 Understanding Asexuality』라는 책에서 로맨틱한 연애 감정은 느끼지만 성욕을 느끼지 않는 무성애자가 전체 인구의 1퍼센트 정도이며 그 중 70퍼센트가 여성이라고 주장한다.

여자들은 요소숙녀도 아니지만 남자들처럼 섹스를 밝히지는 않는다. 여자들에게는 섹스가 주는 순간적인 쾌락보다는 자신을 무리에서 돋보이게 해주는 다른 즐거움이 더 중요하다. 예를 들어, 오르가즘의 쾌락은 명품 핸드백이나 신발을 샀을 때 느끼는 자긍심에 비하면 우선순위에서 한참 뒤로 물러나는 것이 진실이다. 여자들은 사람들의 시선을 끌어야 자존심이 올라가고 여러 남자들 중에서 선택을 할 수 있는 기회가 생기기 때문이다.

여자들로서는 사실 남자들과 같은 정도의 성욕을 갖고 있다는 속설에서 크게 손해볼 것이 없다. 사회적인 편견과 불평등으로 인해 인간의 본능마저 억압을 당하고 있는 희생자 입장에서 여성의 권리를 보다 강력하게 주장할 수 있기 때문이다. 그리고 남자들은 여자들이 성적으로 자유로워지면 더 많은 기회를 얻을 수 있을 것이라고 기대한다. 여자들이 남자들과 마찬가지로 성적이라는 것은 잘못된 주장이지만 가임기의 여성들은 성에 보다 적극적이 되는 것은 사실이다. 하지만 여자의 성욕은 일관적이지 않기 때문에 남자를 불안하게 만든다. 게다가 남자는 여자의 성적 흥분과 오르가즘에 대해 알 수 없다. 여자들은 남자에게 성적 만족에 대해 솔직하게 이야기하지 않으며 다른 목적을 위해 거짓으로 만족감을 표시하기도 한다. 여자에게 성은 우선순위에서 첫 번째가 아니기 때문에 남자가 섹스에 집착하면 여자는 성을 무기로 남자를 조종할 수 있다. 실제로 성에 집착하는 남자는 다른 남자들보다 여자에게 더 굴종하는 경향을 보인다.

남성의 리비도를 발산하는 출구는 섹스에만 있는 것이 아니다. 리비도를 가장 손쉽게 발산할 수 있는 방법이 섹스일 뿐이다. 성욕은 인간의 본성이라는 명분으로 성을 상품화해서 돈을 벌고 있는 대중문화에 휘말리면 소모적인 삶을 살게될 우려가 있다.

30

....

여자는 남자가 알아서
해주기를 바란다

나는 '남녀관계에서는 솔직한 대화가 중요하다'는 말을 들으면 저절로 코웃음이 나온다. 만약 젊은 남자가 이런 이야기를 하면 현실 경험이 부족해서 그런 거라고 변호를 해줄 수도 있겠지만, 결혼한 남자가 이런 말을 앵무새처럼 되뇌는 것은 여자에게 완벽하게 길들여졌다고 고백하는 것이나 다름없다.

여자들은 원하는 것을 이야기하기보다는 남자가 '알아서 해주기'를 바란다. 예를 들어 여자들은 생일이나 기념일에 무엇을 하고 싶은지 말해주어야 하고 섹스를 할 때 여자가 먼저 리드를 해야 하거나 어떻게 하라고 알려주어야 하는 남자는 남자로서 자격이 없다고 여긴다. 여자가 생각하는 진정한 남자는 모든 것을 알아서 척척 해줄 수 있어야 한다. 여자들은 솔직한 대화가 필요하다고 하지만 정작 자신이 원하는 것은 이야기하지 않는다. 그런데 여자는 말을 하지 않아도 남자가 알아서 해주기를 기대하고 남자는 여자가 원하는 것을 분명하게 이야기하기를 기대한다면 어떻게 두 사람 사이에 원활한 소통이 이루어질 수 있겠는가? 여자들은 남자에게 솔직하게 이야기할 것을 요구하면서 정작 자신의 속마음은 뒤로 감추고 있다. 남자들이 '여자라는 동물은 절대로 이해할 수 없어. 굳이 알려고 하지 말자'라고 생각한다면 여자들에게 마음대로 남자들을 요리할 수 있는 평생 이용권을 주는 것이나 다름없다.

여자들의 소통 방식은 남자들을 당황하게 만드는 반면, 핵심적인 정보만을 전달하는 남자들의 소통 방식은 여자들을 실망시킨다. 도덕성에 호소하는 것도 여자에게 이로울 때만 통한다. 남자들은 어쩌다 말이 통하는 여자를 만나면 무척이나 감동을 받는다. "와, 이 여자는 정말 특별해. 드디어 나를 이해해주고 이성적으로 생각할 줄 아는 여자를 만났어."

하지만 '종잡을 수 없는 존재'인 줄 알았던 여자가 남자의 생각에 선뜻 동조를 할 때는 다른 이유가 있을지도 모른다. 남녀 간에 대화는 중요하지만 무엇보다 먼저 여자들이 어떤 식으로 소통을 하는지 알아야 한다. 여자들은 은유법, 몸짓, 태도, 암시 등을 동원해서 남자들이 할 수 있는 것보다도 훨씬 더 많은 정보를 전달한다. 남자들이 더 효율적으로 의사를 전달하는 것처럼 보이지만 알고 보면 여자들이 사용하는 소통 방식이 어떤 목적을 달성하는데 있어서는 훨씬 더 효과적이다. 그러다가 더 이상 그런 방법이 통하지 않는다고 느끼면 딱 부러지게 의사를 전달한다. 여자들이 소리를 지르거나 울음을 터트리는 것은 소중한 뭔가를 잃어버릴 것 같아서 두렵거나 인내심에 한계를 느끼기 때문이다. 여자들의 사고는 자기중심적이다. 여자는 눈물을 흘리며 격한 감정을 드러낼 때에도 냉정하고 분명한 의도를 갖고 있다.

사실 정치가, 지휘관, 사업가, 세일즈맨도 어떤 목적을 달성하기 위해 넌지시 암시적으로 의사를 전달하는 법을 배운다. 분명하게 소통하는 것도 역시 목적을 달성하기 위한 수단이다. 이것은 정직하거나 도덕적인 문제와는 별개의 문제일 수 있다. 다만 우리를 마음대로 조종하지 못하도록 하기 위해서는 누가 어떤 식으로 소통을 하는지 알아둘 필요가 있다.

31

· · · · · · · · · · ·

맹목적인 사랑은
없다

"남자들은 여자가 자신을 사랑하지 않는다는 것을 모르나요?
정말 그렇게 눈치가 없는 건가요?"

어느 날 내 블로그를 방문한 여성 독자가 댓글로 다음과
같은 질문을 올렸다. 그러자 남자들로부터 여자의 질문이
무례하다고 다소 화를 내는 반응부터 이런 질문을 하는 저
의가 궁금하다는 등, 다양한 답변들이 올라왔다. 그런데 내
생각에는 여자가 남자를 사랑하지 않을 때 남자들이 그런
사실을 정말 모르느냐고 묻는 이 질문은 생각보다 많은 점
을 시사한다. 그래서 우선 내 생각을 밝히고 시작하겠다.

모른다. 남자들은 정말 모른다. 꼭 집어서 말을 해주어야 알아듣는다.

남자들은 여자가 자신을 더 이상 사랑하지 않을 때 그런 사실을 모를 확률이 높다. 여자가 사랑이 식어서 의무적으로 대해도 분명히 거절을 하지 않는 한 남자는 여자가 자신을 더 이상 사랑하지 않는다는 것을 알지 못한다. 왜냐하면 여자가 자신을 있는 그대로 사랑하고 이해한다고 믿고 싶어 하는 마음이 강하게 작용하기 때문이다.

게다가 여자는 좀처럼 본심을 드러내지 않기 때문에 변덕스럽고 이해할 수 없는 존재처럼 보인다. 하이퍼가미 본능을 타고난 여자들이 하는 사랑은 기회주의적일 수밖에 없다. 이것은 여자들의 유전자 속에 새겨져 있기 때문에 그들 자신도 어쩔 수 없다. 진정한 낭만주의자는 여자가 아니라 남자다. 여자들이 낭만적이라고 믿는 것은 실수다. 나는 얼마 전 매노스피어 사이트에서 다음과 같은 글을 읽었다.

"남자들은 사랑을 그 자체로 중요한 것이라고 믿습니다. 하지만 여자들은 기회주의적으로 사랑을 합니다. 따라서 여자들이 남자들보다 낭만적일 것이라고 생각하면 위험할 수 있습니다. 남자들이야말로 현실적인 척하지만 실제로는 대책 없는 낭만주의자가 많습니다. 반면에 여자들은 하이퍼가미 본능을 실현하기 위해 낭만주의를 이용하는 현실주의자들이죠."

남자들이 기대하는 것처럼 여자들이 무조건적인 사랑을 하지 않는다는 사실은 남자가 처한 현실에 대해 많은 것을 생각하게 한다. 허무하지만 남자들은 이러한 현실을 받아들이고 대비를 해야 한다. 영원히 행복하게 살았다는 디즈니랜드 동화의 환상에 젖어 있다가는 언젠가 엄청난 정신적 충격을 받고 세상에 대한 환멸을 느낄지도 모른다. 한 남자는 내가 쓴 글에 이런 댓글을 달았다:

"당신이 말하는 것처럼 여자들의 사랑이 거짓이라면 남자들끼리 서로 경고를 해주지 않겠어요? 그래서 여자들이 일찌감치 남친이나 남편을 친구들로부터 고립시키는 건가요?"

　나는 여자들이 '거짓' 사랑을 한다고는 생각하지 않는다. 단지 남자와 여자가 생각하는 사랑의 개념이 서로 다를 뿐이다. 내 블로그를 정리해주는 여성 작가인 재키는 내 말이 맞다고 해도 진정한 사랑으로 극복할 수 있는 것이 아니냐고 물었다. "그렇다면 여자가 생각을 바꾸면 남자들이 원하는 사랑을 할 수 있지 않을까요? 아니면 애초에 남자들은 여자에게서 그런 사랑을 받을 거라고는 기대하지 말아야 하는 건가요?"

　내 말은 남자와 여자는 이상적인 사랑에 대한 개념이 서로 다르다는 것이다. 여자는 남자가 생각하는 것보다 훨씬 더 조건적인 사랑을 한다. 따라서 남자가 여자에게서 무조건적인 사랑을 기대한다면 갈등이 생기고 불행해질 수밖에 없다. 남자가 원하는 사랑은 여자의 하이퍼가미 본능이 충족되었을 때 가능한 것이다. 남자들은 이러한 현실을 있는 그대로 받아들일 때 훨씬 더 건전하고 현명한 대응을 할 수 있다.

남자가 사랑하는 여자에게서 무조건적 사랑을 받고 싶어 하는 것은 당연하다. 나 자신도 사랑에 대한 낭만적인 기대를 접기까지 오랜 시간이 걸렸다. 처음에는 뒤통수를 얻어맞은 듯이 얼떨떨한 기분이었지만 이제는 좀 더 의연하게 받아들일 수 있게 되었다. 사랑에 대한 믿음이 배반을 당한 것이었지만 어쩌면 내가 원하는 방식의 사랑을 받으려고 하는 것이 이기적이고 어리석은 욕심이라는 사실을 깨달았고 오히려 주변 여자들에 대해 좀 더 깊이 이해할 수 있게 되었다.

젊은 시절에는 남녀가 자유로운 만남의 기회를 통해 자신에게 잘 맞는 짝을 선택하고 서로에게 도움이 되는 관계를 유지하는 법을 배울 수 있다. 많은 남자들이 성급한 결정을 내리는 것은 사회의 속설과 금기를 그대로 받아들이기 때문이다. 누가 뭐라고 해도 평생을 함께 할 동반자를 신중하게 선택하고 것은 계산적이 아니라 충분히 합리적이라는 사실을 기억하자.

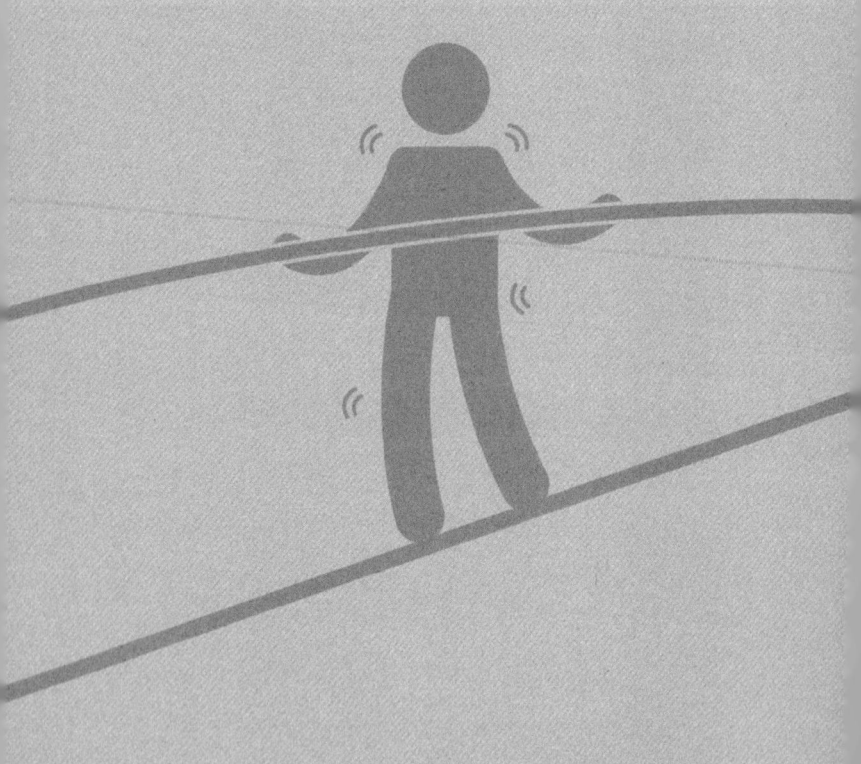

6장

속설과 허구

32

....

남성성의 가치

〈메리에겐 뭔가 특별한 것이 있다〉라는 영화를 본 사람
이라면 그 유명한 '헤어젤' 사건에서 나오는 다음과 같은
대사를 기억할 것이다.

돔: 그만하면 된 것 같군. 그럼 이제 가서 관을 비우고 와.

테드: 뭐라고?

돔: 관을 비우고 나가라고.

테드: 무슨 소리야? 관을 비우라니?

돔: 중요한 데이트에 나가기 전에는 닭모가지를 졸라야해. 맙소
사, 너는 데이트하기 전에 돌고래한테 채찍질을 안 한다는 거
니? 그건 장전된 총을 갖고 나가는 거나 마찬가지야! 그러니
당연히 여자를 만나면 긴장하고 초조해지는 거지. 내 말 들어
봐. 그러니까, 여자하고 섹스를 한 후에 침대에 누워있다고 상

상해 봐. 초조하게 느껴
질까? 아니지. 왜 그런
거 같아?

테드: 그야 치쳐서 그러
겠지...

돔: 아니야! 더 이상 하

고 싶은 생각이 없어졌기 때문이야. 남자가 가장 순수해지는
순간이 언제인지 알아? 사정하고 나서 몇 분 동안이야. 의학적
으로도 증명이 됐어. 더 이상 여자하고 하고 싶은 마음이 없어
지면, 실제로 여자처럼 생각하게 되지. 여자들은 그런 걸 좋아
해.

영화를 보지 않았더라도 위의 대사에서 돔이 무슨 말을
하는지 이해할 수 있을 것이다. 섹스에 집착하는 뭇남자들
과 다르게 보이기 위해 데이트를 나가기 전에 남성성을 죽
이고 중성화시키라는 것이다. 미안하지만 돔, 여자들은 장
전되어있는 총을 좋아한다네.

남성성이 여자를 유혹하는 데 방해가 된다는 돔의 논리
는 현실과 맞지 않는다. 데이트를 하기 전에 관을 비우고
가는 것은 남자가 자기 발등을 찍는 짓이다. 여자에게 성적

인 매력을 어필하고 싶다면 남성성을 부끄러워해서는 안 된다. 여자들은 성적 욕망이 충만한 남자를 꺼릴 것이라고 생각할지 모르지만 사실은 그렇지 않다. 여자들의 연애 감정을 자극하기 위해서는 성적 긴장감을 불러일으켜야 한다.

남녀 간의 끌림을 생화학적 측면에서 연구한 결과를 발표한 논문이 있다. 연구원들은 건강한 성인 남녀가 이성에게 매력을 느낄 때, 성적 자극을 받을 때, 성관계 이전과 이후까지 각각의 단계마다 혈류 속 엔도르핀과 다른 호르몬들의 농도를 측정했다. 가장 주목할만한 사실은 '남녀가 사랑에 빠졌을 때' 분비되는 도파민과 헤로인의 화학적 특성이 매우 흡사하다는 것이다. 더욱 흥미로운 결과는 체내에서 분비되는 호르몬의 작용에 따라 남자가 여자를 성적인 대상으로 평가하는 방식이 달라진다는 것이다. 남자의 몸에서 테스토스테론이 증가하면 문제를 해결하고 도구를 사용할 때와 같은 뇌 부위가 활성화되면서 여자를 성적인 대상으로 인식한다. 여자들의 눈을 가리고 '땀에 젖은 남자의 티셔츠' 냄새를 맡게 한 실험 결과에서도 대다수가 테스토스테론의 농도가 높은 티셔츠를 선택한 것으로 나타났다.

동물들은 이성에게 성적 매력을 느끼게 하는 페로몬이라는 호르몬을 몸 밖으로 방출한다. 연구에 따르면 남녀는 자신과 다른 유전자를 갖고 있는 이성의 페르몬 냄새에 본능적으로 끌리는 경향이 있다. 특히 배란기에 접어든 여자들에게서 이러한 경향이 뚜렷하게 나타난다. 반대로 유전적 형질이 유사한 이성의 페로몬에 반응하지 않는 이유는 근친간의 번식을 막아서 생물의 다양성을 확보하기 위한 것으로 추정된다. 남자는 테스토스테론 분비가 활발할수록 페로몬의 체취를 진하게 풍긴다.

따라서 테스토스테론의 분비가 부족한 남자는 성적 매력이 떨어질 수밖에 없다. 진화론적 관점에서 보면 수렵채집 시절에 이런 남자들은 여자를 알파남들에게 빼앗기고 자위행위로 성욕을 해결할 수밖에 없었을 것이다. 반대로 옥시토신이라는 호르몬은 오르가즘 직후에 분비되면서 테스토스테론을 중화시키는 역할을 한다. 테스토스테론이 섹스와 공격성을 자극한다면(그 외에도 근육을 발달시키고, 목소리를 굵게 하며, 머리카락을 자라게도 한다.), 옥시토신은 성관계 직후나 여자가 임신 중일 때는 분비되면서 보살핌, 믿음, 애착과 같은 감정을 불러온다. 옥시토신은 남자보다 여자에게서 더 많이 분비되며 산후 우울증은 아기를 낳은 후에 옥시토신이 급격히 줄어들면서 일어나는 금단현상이 크게 작용하는 것으로 추정된다.

지그문트 프로이트는 '인간의 모든 에너지는 성적'이라고 했다. 충족되지 않은 성적 욕구는 남자다운 패기와 활력으로 승화될 수 있다. 역사적으로 남자들이 제국의 건설자, 정복자, 창조자, 파괴자로 인류 역사를 획기적으로 바꿀 수 있었던 원동력은 테스토스테론에 있다고 해도 틀린 말이 아니다. 정신 노동이 주를 이르는 현대 사회에서도 마찬가지다. 연구 결과에 의하면, 현대 사회에서도 높은 지위를 차지하는 남자들은 체내 테스토스테론 분비가 활발한 경우가 많다. 남자들은 남성성을 부끄러워할 것이 아니라 몸과 마음의 건강을 유지해서 테스토스테론의 분비를 활발하게 유지해야 인생의 모든 부분에서 성공할 가능성이 높아진다. 여자들이 여성적인 남자가 아니라 남자다운 남자에게 매력을 느끼고 끌리는 것 역시 인류 역사에서 유전자를 통해 전달되어온 오래된 본능이다.

33

....

고독한 노년에 대한
두려움

하느님이 인간을 창조하셨다. 그런데 그 인간이 아직 고독을 잘 모른다고
생각해서 더 깊은 고독을 알게 하기 위해 짝을 만들어 주었다.

－폴 발레리

"그래요, 룰로. 남자가 젊을 때 이 여자 저 여자 만나면서 즐기
는 것은 좋겠지요. 하지만 그러다가 혼기를 놓치면 결국 늙어
서 아내도 자식도 없이 혼자 살다가 죽어야 할 거에요."

우리는 성년이 되자마자 부모를 포함한 주변 사람들에게
결혼을 하지 않으면 외롭게 살다가 죽을 것이라고 겁을 주

는 말을 귀에 못이 박히게 듣는다. 그래서 혼자 살기보다는 차라리 평생 여자의 잔소리를 들으며 살지라도 하루라도 빨리 짝을 만나서 결혼을 하는 것이 낫다는 생각을 갖게 된다. 이제 거의 여자가 되다시피 한 요즘 남자들은 여자들이 노처녀가 되는 것을 두려워하듯이 고독한 노년이라는 말에 지레 겁을 먹는다. 고독에 대한 두려움 때문에 결혼하는 남자는 분리불안에 떨고 있는 어린아이와 같다. 혼자 있는 시간이 두려워서 독립 과정을 거치지 않고 엄마에게서 이내로 곧바로 옮겨가는 것이다. 결국 그렇게 결혼을 해서 한 여자에게 정착하면 독립적인 인격을 갖추지도 못한 채 평생을 살아간다.

과연 인간에게 고독은 치료를 요하는 일종의 질병인가? 사실 고독은 독립심, 자신감, 자율성과 같은 긍정적인 능력과 관계가 있다. 우리 모두는 사람들과 어울리는 시간 뿐 아니라 혼자서 보내는 시간을 필요로 한다. 혼자 있는 시간을 두려워한다면 장기적으로 인생의 행복을 누릴 수 없다. 어느 분야에 재능을 타고난다고 해도 어릴 때부터 배운 것을 혼자 연습하고 터득하는 시간을 보내지 않으면 성공할 수 없다. 위대한 발견과 성취는 처절한 자기와의 싸움이 없으면 불가능하다. 인내하고 기다리는 고통을 이겨내는 것은 그 누구도 대신해줄 수 없다. 하물며 나이가 들수록 혼자 시간을 보내는 자유를 즐길 수 있어야 한다. 조용히 우리 자신을 돌아보는 시간은 인생의 진리를 깨우치고 인격을 완성할 수 있는 시간이기도 하다. 외톨이가 될까봐 사람들과 어울리려고 애쓰면 오히려 군중 속의 고독을 경험하게 된다.

내가 보기에는 진정으로 독립적이고 자율적인 삶을 사는 남자는 소수에 불과하다. 우리 사회는 남자가 결혼을 하지 않고 있으면 어떤 결함이 있는 것은 아닌지 의심하거나 철이 들지 않은 '애어른'이라고 비난하며 수치심을 준다. 가장으로서 가족을 부양해야 하는 책임을 피하는 비겁자 취급을 한다. 마치 결혼이 남자의 인격을 평가하는 기준이자 성숙한 남자가 되기 위한 필수 조건처럼 여기는 것이다.

반쪽 신화가 그렇듯이, 고독한 노년에 대한 속설 또한 남자들의 인생 계획에 걸림돌이 되는 미신에 불과하다. 미리부터 혼자 늙어죽을 걱정으로 주눅이 들어 결혼에 매달린다면 어떻게 원하는 인생 계획을 할 수 있겠는가. 오히려 젊을 때 여자를 잘못 만나면 늙어서 혼자가 될 확률이 높다.

또는 결혼을 하더라도 배우자가 먼저 세상을 떠나면 남은 평생은 혼자 살아야 된다. 고독한 노년에 대한 두려움은 자기충족적 예언이 될 수 있다는 점에 유의하기 바란다. 누군가에게 의지하지 않고 홀로 우뚝 설 수 있을 때 사람들이 주위에 모여드는 법이다.

내가 종종 말하듯이 남자는 주체적이고 열정적인 인생을 살면서 그러한 삶에 활력을 불어넣어 주는 여자를 만나야 한다. 내가 연애 시장에서의 남녀의 가치를 비교해볼 수 있도록 만든 그래프에서 알 수 있듯이, 우리 사회에서 말하는 결혼 적령기는 남자에게 해당되지 않으며, 굳이 말하자면 30대 후반이 전성기다. 당당하고 능력이 있는 남자라면 나이가 쉰이 되더라도 얼마든지 여자를 만날 기회가 있다. 내 주변에는 50대의 나이에 30대 여자들과 데이트를 즐기면서 제 2의 전성기를 누리고 있는 친구들이 있다. 다른 한편에서는 결혼이라는 덫에 걸린 60대 남자가 30년 넘게 아내에게 온갖 구박을 받으면서 살고 있다. 그러면서도 여전히 혼자 사는 남자들을 동정하고 나무란다.

혼자서도 얼마든지 잘 살 수 있는 사람들은 둘이 만나서도 잘 살 수 있다. 현대에는 남자가 할 수 있는 일을 여자도 할 수 있어야 하듯이, 남자들도 기본적인 생활에 필요한 능력을 몸에 익혀야 한다. 외롭게 늙어가는 것을 두려워하기보다는 혼자 보내는 시간을 즐기는 방법을 배우는 것이 고독한 노년에 대비하는 방법이다.

34

....

여자는
여신이 아니다

"여자는 이해하기 어려운 불가사의한 존재다."

나는 남자들이 서로 이런 말을 주고 받으면서 고개를 끄덕이는 광경을 본다. 이러한 속설은 남녀관계에서 여자들을 매우 유리한 위치에 서게 한다. 여자들은 변덕스럽거나 애매모호한 태도로 남자들을 옴짝달싹 못하게 만드는 재주를 갖고 있다. 여자들의 알쏭달쏭한 언행은 신비하고 매력적으로 느껴지기도 한다. 여자들은 무의식적으로 이런 점을 알기 때문에 굳이 자신을 해명할 생각은 하지 않는다. 덕분에 언제라도 마음이 변해도 되는 자유를 누릴 수 있기 때문이다.

게다가 여자들은 분명한 증거가 없어도 '여성만이 갖고

있는 신비한 육감'으로 남자를 꿰뚫어 볼 수 있다면서 남자들을 위협한다. 사실이거나 아니거나 여자들은 그러한 능력을 갖고 있는 것에 대해 대단히 자부심을 느낀다. 여자들이 가십에 열광하는 것을 보라. 역사적으로 어둠의 마법은 항상 여자들과 연관이 있었다는 사실은 놀라운 일이 아니다. 남성이 지배하는 사회에서 여자들은 미신을 이용해서 남자들에게 영향력을 행사했다. 그런 여자들은 마녀로 몰려서 화형에 처해지는 일도 있었지만 역사적으로 '권좌 뒤의 숨은 권력'으로 군림했다.

　로버트 그린은 『유혹의 기술The Art of Seduction』의 머리말에서 유혹이 어떻게 기술로 발전했는지를 설명하고 있다. 여자들은 스스로 운명을 관리할 힘이 없었지만 대신 성을 주무기로 삼아서 남자들을 뒤에서 조종했다. 여성의 신비주의는 섹스와 함께 사용하면 하이퍼가미 본능을 실현하기 위한 가장 유용한 도구가 된다.

　따라서 여자들로서는 신비주의를 유지하는 것이 유리하기 때문에 남자들이 그 뒤에 숨은 진실에 가까이 다가가려고 하는 것을 어떻게해서든 막으려고 한다. 남자들은 이런 여자들을 비이성적이라고 생각하는 경향이 있다. 심지어 프로이트도 여자들의 히스테릭한 반응에 속아서 여자들은 대체로 무능하고 제멋대로이며 변덕스러운 존재라고 단정 지었다. 여자들을 이해할 수 없는 존재라고 하는 말에는 알고 보면 남성우월주의가 깔려 있는 것이다.

하지만 실제로 남자가 어떤 여자를 알 수 없는 존재라고 말한다면 그 여자는 여우에 가깝다고 보면 된다. 여자들은 남자보다 더 계산적이지만 자신이 원하는 것을 분명히 이야기하지 않을 뿐이다. 신비를 가장한 가면 뒤에 약점을 감출 수 있기 때문이다. 사실 여자들은 남자들이 생각하는 것처럼 분별력이 부족하거나 어리석지 않다. 여자들은 감정을 폭발할 때도 마음속으로는 계산을 한다. 따라서 남자들은 이런 여자들의 행동을 분석해 그 뒤에 숨은 의도를 읽을 수 있는 능력을 길러야 한다. 이를테면 여자들은 스스로를 신비로운 존재로 부각시켜서 남자가 자신을 만난 것을 '행운'으로 느끼게 만든다. 여성은 알 수도 없고 알려고 해서도 안 되는 신비로운 존재라는 속설에 길들여진 남자들은 여자를 만나는 것을 복권에 당첨이 되는 것처럼 생각하고 친구들끼리 이런 말을 주고받는다. "그런 여자를 만나다니 너 정말 운이 좋았구나."

남녀가 만나는 것은 남자가 어쩌다 운이 좋아서 여자의 선택을 받는 것이 아니다. 두 사람이 어떤 이유로든 서로에게 호감을 갖기 때문에 가능한 것이다. 여성은 남자들이 이해할 수 없는 불가해한 존재가 아니다. 신비주의로 위장을 하고 있지만 여자도 남자와 마찬가지로 인간의 기본적인 욕구를 갖고 있다. 다만 남자들은 남녀관계에서 신비주의를 자신에게 유리하게 활용하지 못하고 있을 뿐이다.

35

....

요조숙녀는
없다

매노스피어 사이트에서는 남자들이 여자의 품행에 대해 지적하는 글을 자주 접할 수 있는데 종종 여자를 싸구려와 요조숙녀로 구분한다. 요조숙녀가 아니면 창녀가 되는 것이다. 그런데 이러한 구분은 어떤 합당한 기준에 의해 정해지는 것이 아니라 남자들이 아무렇게나 갖다 붙이는 것이다. 물론 세상에는 품행이 불량하고 문란한 여자들이 있는 것은 사실이고 그런 여자들을 옹호하는 것이 아니다. 다만 남자들이 자신이 원하는 여성상을 정해놓고 거기 미치지 못한다고 해서 무조건 '싸구려'라고 깎아내리는 것은 유치한 흑백논리에 불과하다.

어떤 남자가 이런 식의 '신 포도 논리'*에 기초해서 여자를 만난다고 하자. 그에게는 자신을 연인으로 받아주는 여자는 '요조숙녀'가 되고 거부하는 여자는 '창녀'가 된다. 그는 요조숙녀를 만난다고 생각하지만 그것은 화살이 꽂힌 자리에 과녁을 그려 넣고 명중을 시켰다고 좋아하는 것이나 다름없다.

남자들의 이런 이분법적 논리는 난공불락이다. 남자들 사이에서는 아무도 이런 생각에 이의를 제기하지 않는다. 남자들은 어떤 여자를 둘 중에 어떤 범주에 넣을지 평가하고 서로 동조를 하면서 만족을 느낀다. 이런 과정을 거쳐 여자를 요조숙녀와 창녀로 구분하는 심리는 점점 굳어져 간다.

정숙한 현모양처가 될 여자를 만나야겠다고 생각하는 남자들은 술집이나 클럽에 드나드는 여자들에게 경계심을 갖는다. 이것은 또 다른 흑백 논리다. 그들이 요조숙녀라고 생각하는 여자들이 클럽을 다니지 않는 것은 아니며 '건전한' 장소(커피숍, 대학 캠퍼스, 도서관, 교회 등)에서

---

* 원하는 것을 얻을 수 없을 때 자신을 위로하고 합리화하는 심리를 이솝 우화에 나오는 〈여우와 포도〉 이야기를 빗대서 부르는 용어.

도 얼마든지 불량한 여자들을 만날 수 있기 때문이다. 사실 남자들이 클럽에서 여자에게 접근하는 것도 용기가 필요하다. 어떤 장소에서 만나는 여자들을 싸구려라고 규정하는 것은 여자에게 거절을 당하고 자존심을 구기는 일을 피하려는 것이다. 이런 남자들은 통 속에 갇힌 게들과 같다. 한 녀석이 통 밖으로 기어 나오려고 하면 다른 녀석들이 끄집어 내린다. 그들은 자신들이 연애를 못하는 이유를 합리화하면서 서로 위안을 주고받고 용기를 북돋워준다. "네가 얼마나 좋은 사람인지 못 알아보는 여자는 아무 남자나 만나고 다니는 싸구려라서 그런 거야" 그러다가 오랜 기다림 끝에 어쩌다 운 좋게 여자를 사귀게 되면 자신의 방법이 옳았다고 확신한다. "그래, 그 동안 동정을 지키면서 기다린 보람이 있어. 짚신도 짝이 있다는 말이 맞았어."

그러면서 처음으로 잠자리를 같이 한 여자와 결혼을 하고 자신이 얼마나 높은 도덕적 기준을 가지고 있는지 자부한다. 이제 오랜 기다림은 끝나고 마침내 백기사로 성공한 것이다. 과연 그 여자는 그가 꿈꾸던 요조숙녀일까? 결혼을 하면 현모양처가 될 수 있을까? 아무도 모른다.

그러면 어떤 여자를 만날 것인가? 남자는 인생의 단계마다 여자에게서 원하고 기대하는 것이 달라진다. 주변에 20대 초반에 여자를 만나 결혼한 남자가 있으면 지금의 부인을 처음 만났을 때 어떤 생각을 했는지 물어보라. '이 여자는 얼마나 정숙한 여자일까?'라는 생각은 아니었을 것이다. 아마도 '이 여자는 침대에서 얼마나 잘할 수 있을까?'라는 식의 생각을 했을 것이다.

나이와 상황에 따라 남녀가 원하는 이성의 조건은 달라질 수 있다. 남자가 여자들을 만나보기도 전에 요조숙녀인지 창녀인지 구분하는 것은 신포도 논리에 빠져서 자기합리화를 하거나 자신에게 더 잘 맞는 여자를 만날 수 있는 기회를 스스로 제한하는 것이다. 나는 이제 막 연애 시장에 발을 들여 놓은 젊은이들에게 접시 돌리기를 하면서 인생을 즐기라고 말한다. 그래야지 경험에서 무언가를 배우게 될 테니까 말이다.

나는 남자 나이 서른 살이 되기 전에는 결혼하지 말라고 이야기하지만 만일 원하는 인생을 개척해 나가는 과정에 걸림돌이 되지 않는다면 일찍 결혼을 할 수도 있다. 다만 여자들의 이중성을 잊으면 안 된다. 여자들의 하이퍼가미 욕구는 언제나 현재진행형이다. 여자의 외도로 이혼한 남자들이 하는 말이 있다. "내 아내가 그럴 수 있다고는 상상도 하지 못했어. 결혼해서 아이까지 있는 여자가 어떻게 바람을 피울 수 있는 걸까?"

<<<<<<<<

이 세상에 요조숙녀는 없다. 여자들은 여성의 하이퍼가미 본능에 의해 움직인다는 사실을 모르는 남자는 눈뜬 장님이나 다름없다. 성인으로서 객관적이고 독립적인 사고를 한다고 자부하는 남자들은 자신이 하는 행동이 사회적으로 길들여진 결과라는 사실을 믿고 싶어 하지 않는다. 그래서 내가 하는 이야기를 개인적인 피해의식에서 비롯된 것처럼 평하한다. 아니면 차라리 인간 내면에 숨어 있는 동기 따위는 모르고 사는 것이 편하다는 식의 입장을 취한다.

36

....

착한 여자는
아직 들킨 적이 없는
나쁜 여자다

내가 개인적으로 상담을 해준 적이 있는 친구 릭의 사례를 소개하겠다. 6년 전쯤 일을 하면서 알게 되어 가깝게 지내는 동안 나는 그의 연애 상담을 해주었다. 그는 내가 가르쳐주는 것을 적극 받아들였지만 과거의 사고방식에서 완전히 벗어나지 못하고 있었다. 그러던 어느 날 그의 연애관에 전환점이 되는 사건이 일어났다.

릭은 우리와 잠시 함께 일한 적이 있었던 광고회사의 여직원에게 마음을 빼앗겼다. 하지만 그녀에게 구애를 했다가 '우리 그냥 친구로 지내요' 라는 제안을 받았다. 그는 내가 여자들이 친구로 지내자는 제안을 하는 의미가 무엇인지 설명해주어서 잘 알고 있었지만 그런 사실을 내게 숨기고 그녀를 계속 만났다. 그들은 종종 '데이트'를 했고 어쩌다가 술에 취하면 키스를 하기도 했지만 그녀는 그에게 더 이상은 허락하지 않고 거리를 두었다. "난 아직 진지하게 당신을 사귈 준비가 되지 않았어요. 우리 지금 이렇게 친구로 잘 지내고 있잖아요."

그녀는 그를 자신의 '포위망' 속에 가두어두기 위해 가끔씩 당근을 주어가며 서너 달 동안 자신의 마차를 끌게 했다. 그녀는 릭에게 기회가 있을 때마다 자신이 '착한 여자'라는 것을 강조하며 말하곤 했다. "나는 따뜻한 가슴을 가진 남자가 좋아요."

릭은 세상 물정 모르는 어리숙한 남자는 아니었지만 그런 상태로 계속 만나다보니 그 '착한' 아가씨가 자신의 운명적 사랑처럼 느껴졌다.

그러던 어느 날 결국 릭을 충격에 빠트린 일이 일어났다. 우리가 일하고 있던 카지노에서 아론 루이스(스테인드 록 그룹의 보컬이자 기타리스트)가 어쿠스틱 공연을 준비 중이었는데 릭이 만나고 있던 광고회사 여직원이 공연과 관련된 홍보 업무를 맡게 되었다. 그런데 그녀는 아론 루이스의 투어 매니저를 처음 만난 날 밤에 그와 잠자리를 했다. 그리고 다음 날 그녀는 '친구 사이'로 지내던 릭에게 그 사실을 고백했다. 그녀에게 오랫동안 공을 들이며 언젠가는 자신을 연인으로 받아주기를 기다리고 있었던 릭은 그녀가 하룻밤 사이에 다른 남자에게 넘어간 것을 알고 충격과 배신감을 느꼈다. 그녀는 그 날 저녁 술에 취해서 정신을 놓았다고 변명을 했다.

그 사건이 있기 전까지 릭은 그 여자를 디즈니 동화에 등장하는 순진하고 착한 여주인공처럼 생각했다. 요즘 유행하는 말로 된장녀들 틈바구니에서 때 묻지 않은 순수한 영혼을 가진 여자라고 믿었다. 릭은 백기사가 되어 험한 세상에서 그 여자를 지켜주고 있었는데 어이없게도 그 착한 아가씨가 하룻밤 사이에 바람둥이 알파남과 일을 저지른 것이다.

릭은 그런 지경에 이르자 결국 내게 모든 것을 털어놓고 조언을 구했다. 그리고 그녀와 계속 친구 사이로 지내는 것이 좋겠느냐고 물었다. 나는 그에게 이제라도 '우리는 더 이상 당신을 친구로 만날 생각이 없다'고 딱 부러지게 거절하라고 말했다. 릭은 내가 조언해준대로 그렇게 했다. 그는 평생 처음으로 여자를 보기 좋게 차버렸다. 한편 그 여자는 혼란에 빠졌다. 친구로 지내자는 제의에 남자가 그렇게 확실하게 거절한 적이 없었기 때문이었다.

그 후로 릭은 여자는 말보다 행동을 보고 평가해야 한다는 것을 확실하게 깨달았다. 그 여자는 종종 '우연히' 그와 마주치면 다시 인연을 이어갈 기회를 만들어 보려고 했다. 릭이 계속 친구 역할을 했다면 결코 일어날 수 없었던 변화가 여자 쪽에서 나타나기 시작했다. 여자는 그 후에도 반 년 넘게 릭을 적극적으로 쫓아다니다가 결국 포기했고, 릭은 그 이후에 자신을 진정으로 사랑하는 여자들을 만날 수 있었다.

나는 릭이 무척 자랑스럽다. 그는 '우리 친구로 지내요'라는 제안을 단호하게 거부하고 돌아선 후에 비로소 자신이 그 동안 헛된 시간을 보냈다는 것을 깨달았고 여자가 하는 말이 아니라 행동을 읽어야 한다는 진리를 터득했다.

로버트 그린은 『유혹의 기술』에서 바람둥이 여자들의 속성에 대해 이야기하고 있다. 그는 소위 '착한 여자' 야말로 남자를 유혹하는 탁월한 소질을 갖고 있다고 말한다. 얌전한 고양이가 부뚜막에 먼저 올라간다는 속담처럼, 착한 여자는 어린아이와 같은 순진무구함 뒤에 하이퍼가미 본능을 실현하기 위해 남자를 유혹하는 기술을 숨기고 있다는 것이다.

남자들이 '착한 여자'라고 하는 여자들은 사실 고결한 마돈나도 아니고 바빌론의 창녀도 아니다. 그 중간 쯤 되는 귀엽고 착한 여자다. 남자들은 이런 여자를 보면 자신의 영원한 반쪽이 되어줄 수 있겠다는 환상을 갖기 쉽다. 하지만 착한 여자가 내숭을 떨면서 밀당 테스트를 하는 것은 구혼자들을 일렬로 세워놓고 더 나은 남자가 누구인지 평가하기 위해서다. 그리고 기회만 온다면 언제라도 마차를 세우고 다른 남자를 태울 수 있다. 혹시라도 착한 여자를 만난다면 관계가 시작되는 것과 동시에 언제라도 끝날 수 있다는 점을 염두에 두어야 한다.

37

....

남자의 외모

우리는 지금 매우 민감한 주제로 넘어가고 있다. 외모는 성적 매력을 어필하기 위한 필수 요소임에는 틀림없다. 남녀관계에서 이것은 어쩔 수 없는 현실이다. 하지만 남자들은 이런 사실을 알고 있으면서도 애써 외모에 대한 이야기를 피하고 싶어 한다. 만일 내가 친구에게 마약이나 담배를 끊으라고 설득하면 그의 건강을 챙겨주는 좋은 사람이 될 것이다. 하지만 여자들에게 인기가 없는 친구에게 외모를 바꿔보라는 조언을 하면 그의 자존심에 상처를 주거나 생각 없이 사는 얄팍한 인간이 된다. 하지만 만일 자기관리를 하지 않아서 몸매가 엉망인 여자가 '지금 있는 그대로'의 모습으로 사랑받기를 원한다면 남자들이 수긍을 할 수 있을까?

나이가 서른 살이 되도록 여자와 키스 한 번 못한 남자가 있다. 그는 소파에 누워 피자 한판을 놓고 맥주를 마시며 축구경기나 보며 시간을 보내는 것이 편하다. 그것이 있는 그대로의 그의 모습이다. 하지만 점점 더 뱃살이 늘어나는 상태로 여자들에게 사랑 받기를 바랄 수 있을까? 온라인데이트 사이트에 올라온 프로필을 보면 남녀를 불문하고 불필요한 미사여구를 늘어놓으면서 정작 몸무게는 슬쩍 생략하고 넘어가려는 것은 다 그럴 만한 이유가 있는 것이다.

서양 사람들 중에서 66% 이상이 과체중이다 (그 중 33%는 비만이다). 그들의 연애 전망은 시작부터 밝지가 않다. 하지만 남자들은 외모가 여자들의 마음을 사로잡는 데 성격이나 전략만큼 중요하다는 사실을 믿고 싶어 하지 않는다. 남자들에겐 생각을 바꾸는 것보다 몸매를 바꾸는 것이 더 어렵다. 그래서 자신을 세뇌시킨다. "여자들은 남자의 외모를 그렇게 따지지 않아."

실제로 남자는 외모가 볼품이 없어도 경제적 능력이 있으면 상대적으로 수월하게 여자를 만날 수 있다는 것은 사실이다. 하지만 만일 어떤 여자가 당신에게 "외모를 가꾸려고 애쓰지 마세요. 남자가 살 좀 찌면 어때요."라고 말한다면 그녀는 알파남의 선택을 받지 못할 경우 당신을 미래에 자신을 부양해줄 남자로 확보해두려는 것이다.

외모나 생활 방식에 대해 지적을 당하는 것을 좋아하는 사람은 아무도 없다. 그런 비판은 우리 자신을 비난하는 것처럼 들린다. 인생을 똑바로 살라거나 자식들을 제대로 키우라는 말을 듣는 것처럼 자존심이 상한다. 하지만 '있는 그대로의 나를 좋아하지 않는 여자는 필요 없다'고 하는 것은 자포자기나 다름없다. 우리를 있는 그대로의 모습을 보여주라는 격언의 의미는 우리 자신을 부정하고 다른 사람이 되려고 하지 말라는 뜻이지 계속해서 발전하고 변화하지 말라는 뜻은 아니다. 외모도 마찬가지다. 남자들은 어릴 때부터 꾸미는 것을 남자답지 못하다고 배운다. 그래서 여자들과는 달리 외모를 꾸미는 것이 어색하게 느껴질 수 있다. 하지만 여자들의 관심을 받기 위해서 외모는 기본적인 조건 중의 하나다. 역사적으로 바람둥이 남자들은 외모가 중요하다는 것을 잘 알고 있었다. 동물들을 보면 수컷들은 화려한 아름다움을 뽐내며 암컷에게 구애를 한다.

무리에서 자신을 돋보이게 하는 것은 종족 보존을 위한 본능이다. 빈틈없는 연애전략이나 재기발랄한 성격도 외모를 돋보이게 할 수는 없다. 따라서 유행을 좇지 않더라도 몸매를 가꾸고 자신만의 스타일을 찾을 필요가 있다. 돈이 없어서 단벌 신사라고 해도 적어도 적재적소에 맞게 의상을 갖추어 입는 것이 중요하다. 때와 장소에 어울리지 않는 특이한 복장을 하면 혐오감을 줄 수 있다. 내가 다니는 직장에서는 청바지에 티셔츠를 입어도 무방하지만 나는 예의를 지키는 의미로 좀 더 점잖은 옷을 입는다. 하지만 친구들과 어울려 클럽에 갈 때면 과감하게 자유분방한 옷차림을 한다. 우리는 누구나 상황에 따라 다른 페르소나를 입고 살아간다.

친구들끼리 모여서 수다를 떠는 여자들의 몸짓, 표정, 신호를 관찰해보면 그들이 끊임없이 서로 비교를 하고 순위를 정하는 것을 알 수 있다. 남자를 만났을 때도 마찬가지다. 예를 들어, 여자들은 싸구려 신발을 신는 남자에게 관심을 보이지 않는다. 여자들이 신발에 집착하는 경향이 있다는 것을 생각하면 당연한 현상이다. 외모를 꾸미는 것이 처음에는 다른 사람이 되려는 것처럼 어색하게 느껴질지 모르지만 그러면서 조금씩 변화하는 것이다.

여자가 원하는 남자의 조건에서 외모가 차지하는 순위

여자들은 연령대에 따라 남자를 선택하는 기준에서 외모를 우선시하는 순위가 달라진다.

14~24세: 남자를 선택할 때 가장 원초적인 욕구가 강하기 때문에 남자의 외모가 가장 중요하다. 남자의 외모는 여자의 낭만적인 환상을 완성시킨다. 성격적인 결함이 있어도 외모가 뛰어난 남자에게 매력을 느낀다.

　24~30세: 남자의 외모가 여전히 주된 관심사이지만 다른 요인들도 고려하기 시작한다. 또한 조만간 부닥칠 나이의 벽을 감지한다. 아직까지는 다른 여자들과 경쟁할 수가 있지만, 서른살이 가까워지면 이제 그만 카드를 접고 게임을 끝내야겠다고 생각한다. 남자의 외모보다 장래 전망, 경제적 능력, 유머감각, 인격 등을 우선시하기 시작한다.

　30~35세: 나이의 벽을 부정하지만 마음 한 구석으로 여자로서 유효기간은 이미 지났고 해가 바뀔수록 결혼이 점점 더 어려워지고 있다는 불안감을 느낀다. 지금 만나고 있는 남자가 있다면 그를 놓치지 않는 것이 급선무다. 연애의 목적은 어느 정도의 성공과 지위가 확보된 남자를 확보하는 것이다. 20대에 꿈꾸던 남자의 외모 기준은 얼마든지 타협을 할 수 있다.

　35~45세: 여자로서의 유효기간이 끝나고 중고품이 되었

다는 사실을 자의반 타의반으로 받아들인다. 남자의 조건을 따지던 시절은 이제 추억이 되었다. 나이가 지긋한 이혼남이라도 확보하는 것이 목표다. 원하는 남자의 조건으로 무엇보다 부양 능력이 가장 중요하다.

원하는 것을 얻기 위해 노력하기보다 세상이 변하기를 바라는 사람들이 있다. 남자들이 지금 '있는 그대로' 자신을 사랑해주기를 바라는 것은 자기만족에 불과하다. 사실 남자들은 어느 정도 통통한 여자를 선호하는 반면 여자들은 대체로 근육질의 남자를 선호한다. 육감적인 여자들이 미인으로 여겨지던 시절이 있었지만 남자들의 역사에는 루베네스크* 시대가 없었으며 이상적인 남성의 기준은 언제나 근육미를 자랑하는 투사형의 몸매였다. 그 이유는 여자와 남자가 우수한 유전자를 자손에게 물려주기 위한 체격 조건이 서로 다르기 때문일 것이다.

외모를 가꾸기 위해서는 노력이 필요하다. 우선 스스로 변화가 필요하다는 것을 인식하고 인정해야 한다. 남자들은 외모를 가꾸는 일에 게을러서 손쉬운 해결책을 찾는다. 최

---

* 루베네스크Rubenesque: 여인들의 관능미를 표현한 그림을 그린 화가 루벤스의 이름을 따서 풍만한 여성을 미인으로 여겼던 바로크 시대의 풍조를 일컫는 용어

소한의 노력으로 최대의 효과를 보고 싶어 한다. 사실 체중은 어느 정도까지는 의지로 관리할 수 있는 부분이다. 신체적 장애가 있는 것이 아니라면, 체중 조절을 하지 않는 것에 관해서는 변명의 여지가 없다. 어떤 여자가 남자의 출렁거리는 뱃살에 호감을 가질 수 있겠는가?

7장

사랑의 승자가 되라

<<<<<<<<

남자가 인생에서 저지르는 가장 큰 실수는 목표를 너무 높게 잡아서 실패하는 것이 아니라 너무 낮은 목표를 달성하고 만족하는 것이다. 농구 골대를 낮추면 공을 더 많이 넣을 수 있고, 화살을 쏘고 나서 주변에 원을 그려 넣으면 백발백중이 될 수 있다. 하지만 경기의 수준이나 개인의 실력 향상에는 도움이 되지 않는다. 어떤 게임이든지 주어진 규칙을 숙지하고 그 모든 제약을 뛰어넘을 수 있는 능력을 연마해야 한다.

38

....

지금까지 배운 것은
잊어버려라

"싱글맘과 데이트하는 것을 어떻게 생각하세요?"

"나이 어린 여자나 연상의 여자를 만나는 건 어떤가요?"

"요즘 골드미스라고 하는 성공한 여자들에 대해 어떻게 생각하세요?"

나는 처음에 남자들이 이런 질문을 하는 이유가 만나는 여자에 대해 확신을 갖지 못하기 때문이라고 생각해서 무조건 '접시를 더 많이 돌려보라'는 식의 조언을 했다. 한 여자만 바라보지 말고 이런저런 여자들을 만나다 보면 저절로 객관적으로 판단하는 능력이 생기기 때문이다. 그러다가 남자들이 이런 질문을 하는 이유가 다른 곳에 있을 것 같다는 생각이 들었다. 그리고 우리 사회에서 남자가 여자의 조건에 대해 이것저것 따지는 것을 금기 사항처럼 여기기 때문이라는 것을 깨달았다.

여자들은 남자의 조건을 따지는 것은 당연하게 생각하고 현실적인 이유로 남자를 선택하는 경우가 많다. 예를 들어, 싱글맘이 자신과 아이를 부양해줄 수 있는 남자를 찾는 것에 대해서는 아무도 이의를 제기하지 않는다. 여자가 경제적으로 무능해 보이는 남자를 만나면 모두들 나서서 반대를 한다. 반면 남자들에게는 여자가 어떤 면으로 부족하거나 의심스러운 점이 있어도 사랑이라는 이름으로 모든 것을 받아주기를 기대한다.

남자들이 고민하는 문제들을 개인적인 문제로만 규정하면 우리 사회의 속설들이 미치는 영향을 놓칠 수 있다. 속설은 사람들이 갖고 있는 잘못된 생각을 사회적으로 더욱 강화시키는 역할을 한다. 우리가 알고 있는 속설들이 어떤 과정을 거치면서 점점 확고해져왔는지를 살펴보면 남자들 스스로 그러한 속설에 동조하고 있을 뿐 아니라 강화하고 있다는 것을 알게 된다.

우리 사회가 남자들에게 불리한 속설들을 수용하고 확산시키는 이면에는 어떤 배경이 있을까? 양성평등주의자들은 남녀의 차이를 고려하지 않고 무조건 공평한 기회가 주어져야 한다고 외친다. 따라서 남자의 장점과 여자의 장점이라고 생각되는 특성들을 모두 갖춘 사람이 되는 것을 목표로 삼는다. 칼 융에게 저주 있으라. 그의 썩은 시신까지도 지옥으로 보내 버려라. 서양문화는 융의 이론에 흠뻑 젖어들어 누구나 내면에 남성성과 여성성을 같이 지니고 있으며 성의 구별이 없는 자웅동체의 존재를 향해 가는 것이 인간의 이상적인 목표인 것처럼 생각하게 되었다.

또한 서구에서는 1960년대 말부터 90년대 말까지 페미니즘 운동이 활발하게 일어나면서 남녀의 역할에 대한 사람들의 생각에 급격한 변화가 일어났다. 그 결과로 남겨진 것은 무엇인가? 남자들은 자신이 느끼는 감정도 제대로 이해하지 못한다는 조롱을 받으면서 '가부장적'이었던 과거에 대해 수치심과 죄책감을 느끼고 있다.

게다가 여자들은 점점 영리하고 현명해지고 있지만 순진한 남자들은 여전히 반쪽 신화에 빠져 있다. 남자들을 낭만주의 미신에서 벗어나게 하는 것보다 더 어려운 것은 20세기 페미니즘 실험의 그늘에 가려진 남성성을 회복하는 일이다. 우리는 지금 성혁명이 심어놓은 모계사회가 만들어낸 결실을 거두고 있다. 여자들은 점점 더 의기양양해지고 남자들은 점점 더 주눅이 들고 있다. 한편 남자들을 무력하게 만든 이 시대의 엄마들은 나이 마흔이 되도록 결혼도 하지 않는 딸을 보면서 한숨을 내쉰다. 페미니즘을 주도한 베이비붐 세대는 그들이 의도하지 않은 결과가 다음 세대에서 나타나는 것을 보고 있다.

남자들이 오랫동안 자신을 길들여온 사회 구조를 하루아침에 거부하는 것은 쉬운 일은 아니다. 우선, 우리 자신의 마음가짐을 바꾸는 것이 첫 번째로 할 일이다. 지금까지 잘못 알고 있던 것을 하나씩 버리고 새로운 마음가짐을 가져야 한다. 이것이 어려운 이유는 남자들 자신이 나태해서 바꾸고자 하는 의지가 없기 때문이다. 지금 있는 그대로 행복하다고 자기합리화를 하는 것이 변화하기 위해 노력하는 것보다 훨씬 편하고 쉽기 때문이다. 그러다가 충격적인 경험을 하든가 더 이상 잃어버릴 것이 없을 만큼 바닥에 떨어지면 그 때서야 정신을 차린다.

과거의 심리 상태에서 벗어날 의지가 생긴다면 그 다음에는 현실에 맞는 연애 전략을 세우고 실천해야 한다. 하루아침에 당신이 되고자 하는 남자로 변신시켜주는 표준화된 프로그램은 없다. 어느 날 갑자기 알파남이 될 수는 없다.

'자, 이제 나는 모든 것을 다 갖추었다. 이제 나는 알파남이다.' 라고 말할 수 있는 역사적인 순간은 결코 오지 않는다. 사람의 성격을 바꾸는 것은 시간이 걸리고 어려운 일이다. 이 주제에 대해 조언을 해주는 자기계발서는 얼마든지 있지만 문제는 변화에 필요한 의지와 끈기가 부족한 것이다. 스스로 원하는 남자가 되기 위해 필요한 것은 행동이다. 만일 공을 넣어야 하는 골대가 자꾸 더 멀어지는 것처럼 느낀다면 바람직한 일이다. 분발해서 성장하고 더욱 성숙하고 역경을 헤쳐 나갈 의지가 있다는 증거이기 때문이다. 어찌됐던 그 모든 것은 실행을 해야지만 가능해진다. 어떤 조언도 실천에 옮기고 변화를 시도하지 않으면 아무 소용이 없다. 같은 행동을 계속하면서 지금 가지고 있는 것 이상을 얻기를 기대할 수 없다.

"당신의 블로그에 있는 글들을 읽고 충분히 공감을 느끼지만 어느 날 갑자기 지금까지와는 다르게 행동할 수 있을지 자신이 없습니다."

과거에 알던 것을 버리고 새로운 생각에 익숙해지기 위해서는 반복훈련이 필요하다. 처음 운전교육을 받을 때를 생각해보자. 눈길에서는 자동차가 미끄러지는 쪽으로 운전대를 돌리라고 배운다. 타고 있는 차가 미끄러질 때 우리는 무심코 브레이크를 밟든지 아니면 반대편으로 핸들을 돌리게 된다. 자아보존 본능이 위태로운 상황을 더욱 악화시키는 것이다. 하지만 브레이크를 밟지 않고 미끄러지는 방향으로 핸들을 돌리는 연습을 반복해서 하다보면 비상 상황에서 위험을 피하고 안전하게 주행할 수 있다.

모든 일에는 행동과 함께 끈기가 요구된다. 생각만 있고 실천을 하지 않거나 시작을 해도 중도에 포기하면 아무 소용이 없다. 용기를 내서 변화를 시도하다 보면 이런저런 장애물에 부딪칠 것이다. 이를테면 오랫동안 알고 지내던 주변 사람들이 새롭게 변한 당신을 보고선 그 진정성을 의심할 수도 있다. 사람들은 예측 가능한 것을 좋아한다. 그래서 당신의 변화된 모습을 인정하지 않고 원래의 자리로 당신을 되돌려 놓으려고 할 것이다. 등 뒤에서 수군거리거나 비웃으며 수치심을 줄지도 모른다. 하지만 흔들리지 말고 계속 앞으로 나아가자. 끈기 있게 조금씩 변해가면 언젠가는 모두들 인정해줄 것이다.

39

....

사랑에 대하여

다른 사람이 하는 연애에 감나라 배나라 참견하는 것은 주제넘은 짓이다. 사랑은 지극히 개인적이고 주관적인 감정이므로 사람들의 연애 방식을 섣불리 평가하는 잣대를 들이대다가는 상처를 주게 된다. 하지만 사랑은 또한 그러한 불특정의 모호함으로 인해 오해와 갈등을 불러오기도 한다. 사랑에 대한 정의는 종교, 철학, 문학, 생물학 등의 분야에 따라 달라진다. 거기에 개인적인 경험까지 더해져서 우리가 생각하는 사랑의 개념은 복잡하게 뒤얽혀 있을 수밖에 없다. 하지만 남녀 사이에서는 사랑에 대한 두 사람의 이해가 서로 조화를 이룰 때만이 관계가 발전할 수 있다.

그렇다면 우선 남자들이 일반적으로 생각하는 사랑의 개념에 대해 정리해보는 것으로 시작하겠다. 남자들은 사랑을 가장 먼저 어머니와의 관계에서 배운다. 세상에 태어난 아기는 엄마의 보살핌을 받으며 무조건적인 사랑에 대해 배우는데 이러한 경험이 미래의 연인이나 아내에게 기대하는 사랑의 근간이 된다. 내 블로그 독자인 존은 아래와 같은 글을 올렸다.

"남자는 여자가 생기면 이것저것 따지지 않고 숨김없이 솔직해지고 싶어 합니다. 그 어떤 시련도 이겨낼 수 있는 안전한 피난처를 원합니다. 용기와 휴식을 얻을 수 있는 장소 말이죠. 여자와 신경전을 벌이면서 나 자신을 방어하는 것은 그만 두고 싶어요. 진정으로 서로의 민낯을 이해해줄 수 있는 관계를 원합니다. 하지만 현실에서는 그렇게 마음을 놓는 그 즉시 더 이상 편안해질 수가 없는 것이 남녀관계인 것 같아요."

이것은 실제로 연인 관계가 시작되기 전에는 알 수 없는 깨달음이다. 사실 어떤 여자를 만나도 남자들이 꿈꾸는 것처럼 마냥 편안할 수 있는 사랑을 받지는 못한다. 알고 보면 우리는 아기였을 때부터 지금까지 무조건적인 사랑을 받은 적이 없다. 말을 알아듣지 못하는 아이들도 엄마의 사랑을 받기 위해서는 지켜야하는 조건이 있다는 것을 알고 있다.

기쁠 때나 슬플 때나, 부유할 때나 가난할 때나, 아플 때나 건강할 때나, 죽음이 둘을 갈라놓을 때까지 무슨 일이 있어도 서로 사랑하고 소중히 여기고 복종한다.

어떤 상황에서도 변함없이 사랑하겠다고 신과 증인들 앞에서 맹세하는 이러한 전통적인 결혼 서약은 남녀의 사랑이 무조건적이 아니라는 것을 역설적으로 경고해준다. 현실의 외압에 의해 사랑이 흔들리지 않도록 마음을 다잡고 살아가자는 의미다. 이 세상에 완전한 휴식은 어디에도 없다. 남자들은 여자에게서 무조건적인 사랑을 기대할 것이 아니라 독립적이고 성숙한 인격을 갖추어야 한다.

내가 언젠가 상담을 해준 적이 있는 한 남자는 함께 살고 있는 아내에게서 20년이 넘게 정서적인 학대를 당해왔다. 그는 이전에도 한 번 결혼한 적이 있었는데, 12년을 살다가 이혼을 했다. 그 이유는 남자의 경제적 능력이 여자의 기대에 미치지 못했기 때문이었다. 하지만 그는 그녀와 헤어지면서도 자기가 사랑한 여자가 자신이 알고 있는 것과는 전혀 다른 사랑을 했다는 것을 실감하지 못했다. 그는 얼마 후 재혼을 했는데 곧바로 실직을 했고 실업자로 지내는 동안 아내가 일해서 돈을 벌었다. 그리고 5개월이 지났을 때 취업 면접을 보고 집에 돌아와 보니 집 열쇠가 바뀌어서 문을 열 수 없었다. 현관 앞에는 그의 옷가지로 가득한 더플백 두 개가 덩그마니 놓여 있었다. 그 가방 위에 아내가 쓴 쪽지가 있었다. 간단히 요약하면 '취직을 하기 전에는 돌아오지 말라'는 것이었다.

그는 당시에 이 이야기를 아주 자랑스럽게 했는데 그 이유는 자신은 여자들에게 엉덩이를 걷어차이면서 '더 나은 남자'가 되었기 때문이라고 했다. 그는 이제 더 이상 여자의 무조건적인 사랑을 기대하지 않게 되었다. 첫 번째 아내에 이어 두 번째 아내에게서도 똑같은 경험을 한 후에 그는 여자의 사랑을 얻고 싶으면 경제적 능력이 있어야 한다는 것을 뼈저리게 느끼고 돈을 벌기 위해 열심히 일했다. 그리고 그런 식으로라도 여자의 사랑을 받는 것을 고마워했다. 하지만 예순다섯 살이 되었을 때 그는 건강이 나빠져서 더 이상 일을 할 수 없게 되었다. 게다가 아내의 소비벽 때문에 열심히 일해서 돈을 번 것에 비해 남은 재산은 얼마 되지 않았다. 그는 잔인한 현실과 직면하고 있었다. 그나마 여자의 사랑과 애정을 받을 수 있는 자격을 갖추기 위해 필요한 수단을 잃어버린 것이었다.

언제부턴가 우리는 '사랑에는 노력이 필요하다'는 말을 귀가 따갑게 듣고 있다. 그래서 남자들은 이제 여자에게서 소위 '점수'를 따기 위해 끊임없이 노력을 해야 한다고 생각한다. 하지만 남자들이 알아야 하는 사실은 여자들은 결코 현재 상태에 만족할 줄 모른다는 것이다.

"이거 한 가지만 잘하면 당신은 완벽한 남자가 될 거야."
"지금 내가 그 사람을 바꾸는 중이야."
"우리 관계는 좀 더 노력이 필요해."

여자가 이런 말을 한다면 그 뒤에는 남자를 길들이겠다는 의도가 숨어 있다. 다시 말해 남자가 주체성을 포기하고 여자의 프레임으로 들어오도록 하겠다는 의미다. 여자들로서는 자신이 원하는 방식대로 남자가 움직여준다면 세상살이가 무척 편리할 것이다. 더구나 한 남자를 만나기 전부터 이 세상 모든 남자들이 그렇게 길들여져 있다면 더 좋을 것이다. 내 블로그에 한 남자가 이런 질문을 올렸다.

"부부는 일심동체라는 말이 있지요. 남자가 모든 것을 양보하지 않고도 여자와 한 마음으로 사는 것이 가능한가요?"

남자 쪽에서 의식적으로 노력을 해야 하는 것이라면 나는 '아니올시다'라고 답하겠다. 하지만 이것은 좋은 질문이다. 우리는 남녀가 한 마음 한 뜻으로 산다는 말에 대해 좀 더 진지하게 생각해볼 필요가 있다. 이 말은 '정체성'과 관련이 있다. 정체성은 우리가 누구인지, 어떤 사람인지를 의미하는 단어다. 우리는 정체성을 구성하는 개인적인 성격과 특징과 가치관을 스스로 만들어갈 수 있을 때만이 발전할 수 있다.

40

·········

결혼에 대하여

결혼이라는 덫에 걸린 친구가 있다. 그는 친구들에게 결혼 생활에서 자신이 주도권을 갖고 있는 것처럼 큰 소리를 치지만 모두들 그가 아내에게 쥐어서 사는 공처가라는 것을 알고 있다. 그는 지금의 아내를 만나기 전에 거의 5년 동안 사귄 여자가 있었는데 결혼을 약속했다가 어느 날 일방적으로 이별 통보를 받았다. 그녀와 헤어진 후 그는 순수하고 낭만적인 사랑에 대한 환상에서 깨어난 듯 한동안 여러 여자들과 만나며 데이트를 즐겼다(내 도움을 조금 받았다). 하지만 얼마 안 가 지금의 아내를 만나고 나서 곧바로 결혼 발표를 했다. 주변에서 너무 성급한 결정이 아니냐는 우려의 목소리들이 있었지만 그는 마침내 진정으로 자신을 사랑해주는 여자를 만났다고 했다. 하지만 그는 사실 홀로 사는 외로운 늙은이가 될지도 모른다는 두려움 때문에 결혼한 것이었다. 지금 그는 사랑도 없는 우울하고 초라한 결혼 생활을 하면서 가끔 친구들과 만나 시간을 보내는 낙으로 살고 있다. 아내에게서 벗어나고 싶어 하지만 그렇다고 독신으로 사는 것은 생각조차 하지 못한다.

여자들은 보통 결혼을 하면 남자를 당연하게 여기고 더이상 잘 보이려고 애쓰지 않는다. 권태기를 거쳐 어느덧 십주년 결혼기념일이 지나면 사랑이란 말은 일상적인 대화의 일부가 된다. 남편을 사랑한다는 말은 아무 생각 없이 의례적으로 하는 인사치레에 불과하다. 만일 '아내가 정말 나를 사랑하고 있는 건가?'라는 생각이 든다면 이미 열정적인 사랑은 이미 기대할 수 없는 상황에 온 것이다.

마치 내가 결혼 제도에 대해 비관적으로 생각하는 것처럼 보일지 모르지만 분명히 밝히는데 나는 절대 독신주의자가 아니다. 나는 지금 17년째 행복한 결혼생활을 하고 있다. 하지만 남자들이 불행한 결혼으로 자신은 물론이고 아무 죄 없는 자식들에게까지 상처를 주는 것을 주위에서 종종 보고 있다.

이제는 연애를 하면서 한 여자에게 정착하겠다는 것을

목표로 하는 사고방식에서 벗어나야 한다. 연애가 결혼에 이르는 과정이었던 시대는 지나갔다. 결혼은 선택이고 연애는 우리 삶에 활력을 더해주는 원천이 되어야 한다. 결혼은 남자가 자기 삶의 주인으로 살 수 있는 확신을 가졌을 때 해야 한다. 결혼은 사랑의 결과가 되어야지 목적이 되어서는 안 된다.

내가 접시를 돌리라는 말에 많은 남자들이 거부반응을 보이는 이유는 결혼을 목적으로 연애를 하는 사고방식과 충돌하기 때문이다. 여자들의 하이퍼가미 본능을 실현해주기 위한 세간의 속설에 길들여진 남자들의 심리를 단숨에 바꿀 수는 없다. 결혼을 하면 외로움에서 벗어나고 언제라도 섹스를 할 수 있으며 생활이 안정될 것이라는 기대감도 있다. 연애를 할 때는 결혼을 해서 행복한 순간들만을 꿈꾼다. 하지만 일단 남녀가 서로 익숙하고 편안해지면 더 이상 사랑에 대해서는 생각도 하지 않고 사랑 표현은 드문 일이 된다.

결혼의 현실을 이해하려면 나무가 아닌 숲을 봐야 한다. 특별한 애정이나 감사의 표시가 아니라 매일 반복되는 생활에 대해 생각해볼 필요가 있다. 발렌타인데이나 결혼기념일 카드를 건네주며 사랑을 확인하는 것은 낭만적이지만 그런 시간은 잠시뿐이다. 가족을 부양하기 위해 쉬는 날도 없이 일을 하고, 매달 청구서 대금을 내느라 쩔쩔매고, 아내와 말다툼을 하고, 아이들과 텔레비전 리모콘을 갖고 싸우는 것이 바로 결혼이다. 이것이 평범한 사람들의 결혼 생활이다. 아직 그렇지 않다면 얼마 안가 그렇게 될 것이다. 이 세상에 하나밖에 없는 '반쪽'을 발견하고 '당연히 해야 하는 일'을 하는 것처럼 결혼을 할 때는 이런 현실에 대해 들어도 실감이 나지 않는다.

진부한 말이지만 결혼은 현실이다.

결혼은 남자들에게 삶을 완전히 바꾸는 정도의 희생을 요구하지만 그럼에도 불구하고 여자들은 절대 그 희생에 대해 고마워하지 않는다. 남자들은 여자에게 모든 것을 양보하고 살면 언젠가는 보답을 받을 것이라고 착각하지만 그런 일은 절대 없다. 여자를 위해 개인적인 야망과 미래를 포기하는 것은 남자로서 당연히 해야 하는 일이 된다. 온갖 유혹을 물리치고 아내에게 충실한 것은 남자로서 당연히 해야 하는 일이 된다. 가장으로서 가족을 부양하는 것은 남자로서 당연히 해야 하는 일이 된다.

이것이 바로 모든 여자들이 남자에게 요구하는 것이다.

남자는 여자와 가족을 위해 모든 것을 희생해야 하고 이러한 상황에 이의를 제기하면 파렴치한이 된다. 예를 들어, 마흔 살의 남자가 '젊은 여자를 밝히지 않고' 같은 또래의 여자와 사귄다고 하자. 그러면 그 여자가 늦은 나이에 새로운 인생을 시작하게 해준 남자에게 고마워할까? 절대 그런 감사는 받지 못할 것이다. 그는 응당 남자가 해야 할 일을 한 것뿐이다. 어느 남자가 미혼모를 만나 남의 자식을 길러준다면 여자는 그의 헌신에 대해 높이 평가해줄까? 그것은 남자가 응당 해야 할 일을 하는 것뿐이다.

나는 앞에서 남녀관계가 여성을 중심으로 움직이는 사회를 영화 〈매트릭스〉에 비유했다. 우리 사회에서 어린 시절부터 교육을 받고 사회 규범을 지키고 여러 가지 능력을 갖추는 것은 모두 여자를 얻기 위해 필요한 조건들이다. 이러한 사회 체제를 유지하기 위해 대중문화가 공모하고 도덕주의자들이 동조하고 절대론자들이나 패배한 백기사들은 죽기 살기로 매달린다. 심지어 상대론자들까지도 이러한 체제에 대해 의심하지 않는다. 남자로 살기 위해서는 여자를 위해 모든 것을 희생할 준비가 되어 있어야 한다. 미래에 대한 결정, 학업, 커리어, 종교, 심지어 어디에서 살지를 선택하는 것까지 여자들이 원하는 대로 따라가는 것이 현명하다고 배운다. 남자다운 남자라면 여자의 어떤 문제도 너그럽게 수용할 수 있는 태도를 갖추어야 한다. 결혼을 하지 않는 남자는 여자들의 요구에 봉사하는 역할을 받아들이지 않는 것을 부끄럽게 여겨야 한다. 그리고 결혼을 해서 아이들을 낳으면 그들에게도 같은 생각을 심어준다. 그러다가 만일 이혼이라도 하게 되면 개인적인 생활과 사회 전반에서의 영향력을 유지하기 위해 별거수당을 공물로 바친다.

이러한 매트릭스 체제가 적합한지 아닌지를 따지는 것은 허용되지 않으며 이의를 제기하는 남자는 사회 부적응지가 된다. 남자들 스스로 이러한 체제를 수호하는 것을 도덕적이고 명예로운 일이라고 자부심을 느낀다. 그러면서 여자들이 원하는 것이 바로 자신이 원하는 것이라고 자신을 다독인다.

얼마 전 청취자들에게 상담을 제공하는 라디오 토크쇼를 듣게 되었는데, 한 여자가 자신의 남편에 대해 불만을 털어놓았다. 그녀는 결혼하기 전에 일이 년 정도 데이트를 했다. 처음부터 두 사람은 아이를 원하지 않는다는 것을 분명히 했고 결혼을 하면 아이를 갖지 않기로 합의했다. 그런데 결혼 후 일 년 쯤 지난 후에 아내는 몰래 먹던 피임약을 중단하고 임신을 하기 위해 성관계에 적극적으로 임했다. 문제는 아무리 노력을 해도 임신이 되지 않는 것이었다. 그러던 어느 날 남자가 자신은 아이를 낳을 생각이 없어서 결혼 전에 정관수술을 했다고 이야기했다. 여자는 그 동안 남자에게 속았다면서 마치 사기 결혼에 당한 것처럼 길길이 뛰었다. 이 사연을 들은 청취자들은 어떤 반응을 보였을까? 대부분 여자에게 동정심을 표시하면서 그녀의 남편을 비난하는 목소리를 쏟아냈다. 두 사람이 결혼 전에 아이를 갖지 않기로 합의를 했음에도 불구하고 여자가 남자를 속이고 우연히 임신을 한 것처럼 보이려고 했다는 사실은 무시해 버리고 정관수술을 했다는 이야기를 하지 않은 남자에게 모든 비난의 화살을 돌렸다.

여자들은 과거에 남자들의 소유물로 가축과도 같은 삶을 살았던 적도 있었고 지금과 같은 권리를 누리게 된 것은 얼마 되지 않았다고 반박한다. 그 동안 부당한 세상에서 힘들게 투쟁을 해왔지만 아직까지도 사회적 약자로 남아 있으므로 당연히 보호를 받아야 한다고 주장한다. 하지만 중세 암흑시대 이전에 태어난 몇 명의 황제들을 제외하고는 지금까지 남자들이 실제로 여자를 '소유'했던 적은 없었다. 오히려 남자들은 여자들을 보호하고 편안하게 해주려고 고군분투하고 있다. 생각해보자. 당신은 여자가 원하는 삶이 아닌 자신이 진정으로 원하는 삶을 살고 있는가?

41

· · · · · · · · · · ·

모든 서약은
여자들을 위한 것이다

명예를 중시하는 남자들의 서약은 여자들의 삶을 편리하게 만들어주는 더없이 유용한 수단이다. 우리 사회는 여자들과 공모해서 남자들에게 툭하면 서약을 강요한다. 남자들 사이에서 '서약 공포증'이 전염병처럼 퍼지고 있을 정도다.

남자들은 평생을 살면서 사회적으로나 개인적으로 자기 자신 외에 공공의 대의를 위해 헌신하기로 서약을 한다. 가족, 군대, 회사, 공동체, 등등에 충실해야 하는 의무가 주어진다. 그런데 알고 보면 그 모든 서약의 원칙은 여성이 중심이 되어야만 비로소 완전해진다. 남자들의 헌신은 단지 여자들이 규정하는 현실에서만 의미가 있다. 다시 말해, 여자들에게 직접적으로 도움이 되지 않는다면 적법한 서약이 아니다. 남자들이 하는 모든 서약은 여자들의 이익을 반영하는 것이어야 한다.

그렇다면 어떻게 사는 삶이 '도덕적'으로 우위에 있는지 생각해보자. 일단 어떤 사람과 약속을 하면 사랑도 열정도 없는 관계라도 유지하는 것이 더 도덕적인가? 아니면 우리를 불행하게 만드는 약속에 매달리지 말고 자유롭게 주어진 삶을 사는 것이 더 도덕적인가? 사실 이것은 어느 것이 옳다고 말할 수 없는 어려운 문제다.

어떤 사람에게 '노' 라고 말할 수 없다면 그가 누구든지 당신의 주인이 되며 당신은 그의 노예가 된다.

이것은 옳고 그름을 분명하게 구분하기 어려운 도덕 논쟁에서 종종 인용되는 말이다. 이 원리에 의하면, 누군가에게 충실하겠다는 약속을 했는데 시간이 흐르고 환경이 변하면서 그 약속을 지킬 수 없는 사정이 생겼는데도 '노라고 말할 수 없다면 그 사람의 노예로 사는 것이나 다름없다.

내가 어떤 여자와 진지한 관계를 시작했는데 지내다 보니 서로가 잘 맞지 않는다면 그 여자가 나한테 충실하고 약속을 잘 지키고 있는 상황에서 내가 일방적으로 약속을 깨뜨려도 되는 것인가? 어떤 이유로든 약속을 깨는 것은 부도덕한 것인가? 약속을 지키기 위해 나의 꿈과 행복을 포기할 수 있는가? 만일 여자와 헤어진다면 그 이유가 무엇이든 간에 나는 부도덕한 인간이 되는가? 내가 지켜야 하는 가치는 무엇인가? 나 자신을 희생해서라도 약속을 지켜야 하는 것인가?

나는 약속이란 무엇이든 우리의 진정한 욕망을 가능하게 하는 것이어야 한다고 믿는다. 남녀가 만나 두 사람이 서로를 변함없이 사랑한다면 비록 미래에 더 좋은 기회가 오더라도 아쉬워하지 않으며 서로에게 감사할 것이다. 하지만 많은 남녀가 평생 해로를 하지 못하고 파경에 이른다. 인생을 살다보면 사람이나 상황이나 기회나 조건은 계속해서 변화한다. 영원할 것처럼 보이는 약속이라도 언제라도 상황이 바뀌면 빛이 바래거나 무의미해질 수 있다.

나는 남녀 사이에 문제가 생겼을 때 관계를 유지하기 위한 어떤 노력도 해보지 않고 헤어지라고 부추기는 것이 아니다. 하지만 남자가 여자 때문에 자신의 뜻을 펼치지 못하고 있다는 회의가 느껴진다면 다시 한 번 생각해보기 바란다. 단 한 번 밖에 살 수 없는 소중한 인생을 어떻게 살 것인가? 우리에게 주어진 삶의 주인으로 살기 위해 최선을 다하는 것이 옳은가, 아니면 약속을 지키기 위해 모든 가능성을 포기할 것인가?

나는 남자들이 아무런 이기심도 없이 사랑하는 사람을 위해 자신을 희생하는 것을 존중한다. 약속을 충실히 지키는 것은 옳은 일임에 틀림없다. 자신의 신념에 충실하게 살고자 하는 숭고한 정신을 욕되게 할 생각은 절대 없다. 다만 그러한 선택이 스스로 진정으로 원하는 삶인지 생각해보라는 것이다.

거듭 말하지만, 젊은이들은 사회와 주변 사람들이 요구하는 현실과 타협하기 전에 정말 자신이 원하는 삶에 대해 진지하게 생각해보기 바란다. 대기업의 임원이 되고 존경받는 전문가가 되고 경제적으로 풍족한 생활을 하더라도 그것이 당신 스스로 원해서 하는 일이 아닌 누군가를 위해 하는 일이라면 노예의 삶을 사는 것이나 다름없다. 또한 성공이 진정한 욕망이 아닌 세속적인 허영심을 채우기 위한 것이 아닌지 돌아볼 필요가 있다. 어떤 것이 합리적인 결정인가? 무엇이든지 일단 서약을 하면 그 약속을 지키기 위해 평생 자신을 희생하며 살아야 하는 것인가? 아니면 우리에게 주어진 잠재력을 실현하고 진정한 삶의 의미를 추구하며 살아야 하는 것인가?

42

· · · · · · · · · · ·

프레임이
중요하다

프레임이란 틀이나 뼈대를 뜻하는 단어로 심리학에서는 '세상을 바라보는 마음의 창'이라는 의미로 사용된다. 프레임은 사람이 태어나서부터 가정환경, 문화, 사회, 교육 등을 통해 배우고 경험하는 모든 것에 의해 형성되며 어떤 문제를 바라보는 관점은 이러한 프레임에 의해 달라진다. 또한 어떤 프레임을 갖고 세상에 접근하느냐에 따라 삶에서 얻어내는 결과물이 달라질 수 있다.

우리는 누구나 의식적이거나 무의식적이거나 개인적인 프레임 안에서 느끼고 생각한다. 그리고 그러한 프레임이 받아들이는 것만을 이해하고 받아들이는 경향이 있다. 프레임에 들어맞지 않는 사실은 납득을 하지 못하고 반박하거나 무시해버리려고 한다. 따라서 우리가 서로를 이해하기 위해서는 각자가 자신이 어떤 프레임에 의해 생각하고 움직이는지를 아는 것이 중요하다.

존이라는 친구가 있다. 나는 그를 좋아하지만 줏대가 있는 남자는 아니다. 나이 20대 초반에 그는 기본적으로 자신의 야망을 포기해 버렸다. 여자가 '어쩌다' 덜컥 임신을 하는 바람에 그는 남자답게 책임을 져야 한다는 사명감으로 결혼을 했다. 그 이후로 그에게는 모든 기회의 창이 닫혀버렸고 다른 선택은 전혀 고려할 수가 없었다. 그리고 아내는 두 번째 임신을 했다.

존은 절대 다른 여자를 유혹하지 않는 가정에 충실한 남자다. 프로그래머로 열심히 일해서 가족을 부양하면서도 집안일을 도와주고 아이들의 자상한 아빠로 살고 있다. 그 모든 헌신에도 불구하고 잔소리가 심한 그의 아내는 툭하면 눈을 부릅뜨고 그를 윽박지른다. 그런 엄마를 보고 자라는 10대의 두 딸도 아버지를 함부로 대한다. 게다가 존은 말 그대로 하루 24시간 아내의 감시 속에 살고 있다. 그의 아내는 내가 아는 어떤 여자보다 소유욕이 강해서 그가 잠시라도 눈에 보이지 않으면 어느 술집에 앉아 있지는 않는지 바람을 피우지는 않는지 의심한다.(내가 아는 한, 존은 여자가 나오는 술집에는 발을 들여 놓은 적이 없다.)

나는 종종 남자들이 자신도 모르게 여자에게 주도권을 빼앗겼다고 한탄하는 이야기를 듣는다. 남자들은 종종 여자가 먼저 관심을 갖고 다가오면 자신이 주도권을 갖고 있는 것으로 착각한다. 하지만 여자가 남자에게 관심을 보인다고 해서 반드시 그의 '세상'으로 들어갈 준비가 된 것은 아니다. 오늘날에는 여자들이 날카로운 손톱을 세우고 남자의 프레임에 들어가서 않으려고 저항한다. 여자들이 알게 모르게 밀당 테스트를 하는 이유는 남자의 프레임이 자신의 것과 어느 정도 조화를 이루는지 확인하려는 것이다. 결국 많은 남자들이 여자의 밀당에 말려들어간다. 흥미로운 점은 두 사람 사이의 프레임이 균형을 잃으면 본능적으로 알 수 있다는 것이다.

남자가 여자에게 끌려 다니거나 친구 역할을 하면서 연인이 되어주기를 기다리고 있다면 프레임의 균형이 여자 쪽으로 완전히 기울어진 것이다. 앞에서도 언급했듯이, 프레임은 유동적이어서 상황에 따라 균형이 이쪽에서 저쪽으로 옮겨질 수 있다. 가끔 의견 차이로 다툴 수도 있지만 기본적으로 건강한 균형을 이루어야 한다.

여자가 자진해서 남자의 프레임 안으로 들어가기를 원한다면 가장 이상적일 것이다. 여자가 남자를 진정으로 원하고 있다는 증거이기 때문이다. 유명 연예인이나 명망이 높은 지위에 있는 남자라면 여자를 자신의 프레임 안으로 들어오게 하는 것이 어렵지 않다. 그런 남자는 이미 검증된 상품으로 만천하에 증명이 되었으므로 여자들은 그와 연결되기 위해 기꺼이 그가 주도하는 세상 속으로 들어가고 싶어 한다. 다른 여자들을 제치고 그의 선택을 받았다는 것만으로도 자부심을 느낄 수 있기 때문이다.

불행히도, 당신이나 나는 그런 남자가 아니다. 하지만 여성의 하이퍼가미 본능에 대해 알고 있다면 우리 자신의 프레임을 구축하고 유지하기가 좀 더 용이할 것이다. 서구 문화권에 사는 남자들은 남녀관계가 여성을 중심으로 움직이는 구도를 당연하게 여긴다. 그래서 결혼과 동시에 별 생각 없이 아내의 프레임으로 완전히 들어가 버린다. 여자의 프레임을 전적으로 수용해서 평생 여자를 상전으로 모시고 살아간다.

실제로 결혼한 부부들을 보면 많은 경우 아내가 완벽하게 실권을 쥐고 있다. 남편은 아내가 주도하는 현실에 안주

해서 독립적인 사고를 하지 못한다. 싱글이라면 당연히 마음대로 할 수 있는 사소한 일도 아내의 '허락'을 받는다. 내 친구 중에는 이해심 많은 여자를 만나서 TV로 축구경기를 볼 수 있다고 감지덕지하는 남자도 있다. 그것도 어쩌다가 한 번 뿐이다.

평생 그런 식으로 여자의 그늘에서 살기를 원한다면 굳이 말리지는 않겠다. 그렇지 않다면 남자는 결혼하기 전에 먼저 자신의 프레임을 확보하는 것이 필수적이다. 건강한 관계를 유지하기 위해서는 무조건 여자가 하자는 대로 따라가야 한다는 생각을 버려야 한다. 유능하고 지적인 여자라고 해도 남녀관계에서는 자신을 이끌어줄 수 있는 남자다운 남자를 원한다는 것을 명심하기 바란다.

나는 남자들이 결혼 이후에 겪을 수 있는 위험에 대해 경고하는 글들을 써왔다. 남자들이 결혼 이후에 받는 보상이나 감사는 미미한데 비해 지켜야 하는 의무사항은 터무니없이 많은 것이 현실이다. 이런 억울하고 불리한 상황을 알면서도 결혼을 한다면 적어도 최소한 남자가 자신의 프레임을 구축하고 유지할 수 있어야 한다.

에필로그

우리 사회가 좀 더 인도주의적으로 재편되어야 한다는 주장에는 언제나 '평등'이라는 단어가 포함된다. 양성평등이라는 단어는 사용되기 시작한지 50년이 넘었지만 아직도 사전에는 그 의미가 명확하게 정리되어 있지 않다. 내 생각에 그 이유는 현대인들이 양성평등을 일종의 '상식'처럼 당연하게 여기기 때문일 것이다. 이제 양성평등이라는 용어를 희미한 그림자 밖으로 끌어낼 때가 되었다.

"당신은 언젠가 여자에게서 큰 상처를 입은 것 같네요. 여자들이 말과 행동이 다르다고 원망하는 것을 보니 틀림없이 그런 일이 있었을 거에요."

나는 여자들뿐 아니라 남자들부터도 이런 말을 종종 듣는다. 여자들에 대해 조금이라도 비판을 하면 곧바로 여성을 비하한다고 몰아붙이는 것이 유행처럼 되어버렸다. 마치 여자를 만날 기회가 없어서 욕구불만이 잔뜩 쌓여 있는 비겁하고 조잔한 남자들이 못 먹는 감 찔러나 보는 식의 화풀이를 하지 못하도록 미리 입을 틀어막을 준비를 하고 있는 듯하다. 남자들에게 수치심을 느끼게 하고 주눅이 들게 만드는 다른 속설들과 같은 맥락이다. 그러다보니 남자들 스스로 여자에 대해 뭔가를 이야기하기 전에 자기검열을 거치게 되었다. 여자들에 대한 비판은 무엇이든 여성 비하라는 비난을 들을 수 있다. 그리고 남자들은 모두 공범이므로 서로에게 그 죄를 묻는 것으로 스스로 벌을 받을 준비를 하고 있다.

우리 사회는 50년 전부터 대중매체 뿐 아니라 부모들까지 아이들에게 남녀평등 사상을 가르치기 시작했고 그 과정에서 마치 남성성에 문제가 있는 것처럼 남자들의 여성화를 부추겨왔다. 현대 사회는 여자들에게 독립심, 강인함, 의지, 모험심, 문제해결 능력, 진취성 등 남성성을 상징하는 대표적인 특징들을 갖추어야 한다고 말한다. 하지만 여성성이 강한 여자들을 보고 지나치게 여성적이라고 놀리기도 하지만 여성성을 버리라고 하지는 않는다. 남자들과 나란히 어깨를 겨루면서도 여전히 부드러운 여성성을 간직하기를 기대한다. 남성성과 함께 여성성을 갖춘 여자들은 칭찬을 듣고 인정을 받는다.

그런데 어째서 전통적인 남성성은 마치 '결함'이 있는 생물학적 부산물로 치부되는 것일까. 어째서 남성성은 여성성보다 더 낮은 가치를 가진 것으로 폄하되어야 하는가? 그 이유는 여자들의 편의에 맞추어 남성성을 평가하기 때문이다. 게다가 그 내막을 들여다보면 바람직한 남성성까지 결코 적절한 평가를 받지 못하고 있는 것을 알 수 있다. 그렇다면 남자들을 여성화시켜서 공평한 경쟁의 장을 만들자는 것인가 아니면 양성인간을 목표로 성별의 차이를 없애버리자는 것인가? 과연 이런 상황이 바람직한 것인가? 양성평등주의자들은 그렇게 되는 것이 공평하다고 믿는 듯하다.

지금까지 나는 평범하고 순진한 남자들을 위해 조언을 해왔다. 요즘 남자들은 사회가 요구하는 역할에 길들여져서 주체적으로 생각하고 행동하는 힘을 잃어버리고 있는 것은 아닌지 돌아볼 필요가 있다. 이기적이라는 비난과 남자답지 못하다는 비웃음 사이에서 주눅이 들어 있는 것은 아닌지, 자신이 정말 원하는 삶을 살고 있는지 생각해보자.

우리는 본능적으로 이성에게 어필하기 위해 어떻게 행동해야 하는지 알고 있다. 남자다운 것이 무엇인지를 정의하는 사람은 여자들이고, 여자다운 것이 무엇인지를 정의하는 사람은 남자들이다. 그리고 여자들이 남자에게서 매력을 느끼는 특성들은 실제로 우리 사회가 남자들에게 요구하는 것과는 차이가 있다.

누가 뭐래도 진정한 남자라면 건강한 남성성을 지킬 수 있어야 한다. 우리 사회가 남성성에 대해 뭐라고 하든지 알고 보면 여자들은 패기와 자신감이 느껴지는 남자에게 끌린다. 그러니 남성우월주의라거나, 석기시대 동굴인 같은 생각을 한다거나, 테스토스테론에 중독되었다거나 하는 놀림을 받아도 의연하게 대처하기 바란다. 전통적인 남성상이 속설과 허구에 의해 어떻게 변질되어 왔는지 알고 자기 자신 뿐 아니라 우리 아들들과 다른 모든 남자들에게 긍정적인 남성성을 장려하고 응원해야 한다.

인류는 남녀 구분이 없이 양성을 소유하는 것이 아니라 남녀가 성별의 차이를 서로 조화시킬 때 더욱 발전할 수 있다. 남녀가 서로 대치하는 관계가 아니라 상대의 부족한 점을 보완해주는 관계가 되기 위해서는 각자의 욕구 충족이 어느 한쪽으로 치우치지 않아야 한다. 일부일처의 결혼 제도가 종족 보존이라는 인류의 근원적인 목적을 위한 것이라고 해도, 남자가 주체적인 삶을 사는 것과 가족을 지키는 성실한 가장이 되는 것은 서로 상반되는 목표가 아니다.

인사말

책이 출판되어 작가로 데뷔를 하고 나서 그 동안 신세를 진 사람들에게 감사를 표하지 않으면 의무를 게을리하는 것이나 다름없다. 이 책에 실린 남녀관계에 대한 새로운 개념들이 탄생하기까지는 많은 시간이 걸렸다. 나는 남녀관계가 남자들의 인생 계획에 어떤 식으로 영향을 미칠 수 있는지를 이야기하고 싶었다.

나는 다음에 소개하는 블로그들을 자주 방문하면서 이 책에 소개한 아이디어를 구할 수 있었다. 몇몇 블로거들과는 개인적으로 친구가 되었고 나머지 분들은 매노스피어 사이트에서 비공식적으로 만나는 동지들이다.

소수아베 포럼은 이 책에서 소개하는 여러 가지 아이디어들이 탄생할 수 있었던 뿌리가 되었다. 나는 지금까지 그 포럼에 5,300편 이상의 글을 포스팅했으며 아직까지 중재자 역할을 하고 있다.

매노스피어 사이트에는 '3R'이라고 불리는 필자들이 있다. 루쉬, 로이시 그리고 나 롤로다. 내가 그 세 사람 중에 포함된 것을 영광으로 생각한다. 특히 이 책을 출판할 수 있도록 격려해준 루쉬에게 감사한다. 루쉬와 로이시는 각각 rooshv.com와 heartiste.wordpress 에 올라온 글을 통해 만날 수 있다.

순수하게 실용적인 최고의 연애 기법들을 배우고자 한다면 닉 크라우저의 사이트 krauserpua.com를 방문해보기 바란다. 닉은 연애 지침에 관한 책을 여러 권 집필했는데 주로 이성을 유혹하는 방법에 중점을 두고 있다. 그는 연애 기법의 근간이 되는 심리적이며 사회적인 역학관계에도 정통하다. 그가 어떤 과정을 거쳐서 지금처럼 남자로서 성공적인 인생을 살게 되었는지 이야기하는 개인적 경험담은 감동적이다. 그가 런던리얼 TV에 출연해서 이 책을 소개해준 것에 대해 감사한다.

블로그를 시작한 이후에는 특히 달록의 사이트 dalrock. workpress.com에서 많은 영감을 받았다. 그의 사이트에서 나는 일반인들의 도덕관과 남녀관계에 대한 생각을 개관할 수 있었다. 달록은 특히 연애전략과 하이퍼가미 개념을 정확하게 기독교적인 관점에서 전개하고 있다.

나는 독자들이 편견을 갖지 않도록 하기 위해 가능하면 도덕 문제와는 무관한 정의를 내리려고 애썼다. 어떤 독자는 내가 제시하는 연애 전략들이 도덕을 초월해 있는 것처럼 보이는 것에 대해 불편하게 느낄 수 있다. 이 책을 읽다가 어떤 내용이 개인적인 신념이나 종교와 배치된다는 거부감이 느껴진다면 달록의 사이트를 방문해서 그의 글을 읽어보기를 권한다.

롤로 토마시

합리적 남자

초판 1쇄 │ 2015년 9월 15일
개정판 1쇄 │ 2024년 8월 1일
지은이 │ 롤로 토마시
옮긴이 │ 임현진
펴낸곳 │ 도서출판 아니마
출판 등록 │ 2008년 12월 11일, 396-2008-000092호
주소 │ 경기도 고양시 일산동구 중산로 101, 109-903
편집 │ Tel 031-908-2158, Fax 0303-0944-2194
이메일 │ animapub@naver.com
인쇄 │ 수이북스
제본 │ 쌍용제책
ISBN │ 978-89-965393-4-6 03180

이 도서의 국립중앙도서관 출판사 도서목록(CIP)은
은 e-CIP 홈페이지(http://www.ni.go.kr/cip.php)에서 이용하실 수 있습니다.
(CIP 제어번호:CIP 2015022104)